JN034508

法曹教育

松田二郎

有斐閣

はしがき

従来わが国では、大学における「法学教育」については、いろいろ論ぜられたにもかかわらず、裁判官・検察官および弁護士という法律家の養成のための教育、すなわち「法曹教育」については、ほとんど論ぜられていない。しかし、新憲法の下、民主主義の行われるべき現在において、直接に法を掌るところの、これらの者の養成こそ、きわめて重要なのである。本書は、この法曹教育の重要性とそれが大学における「法学教育」に対して有する特異性を明かにしようと試みたものである。

本書に収めたものは、私がかつて司法研修所長在任中、「法曹教育」について、司法修習生に訴え、また司法研修所教官に語り、あるいは雑誌に寄稿したところを整理したものである。それは、先にその在任中「鳳雛への期待」と題して一応纏めたものに、その後の統計や文献を加え、これを全面的に補訂して「法曹教育」への理解の一助たらしめようとしたものであるが、この未開拓の分野におけるる卑見に対しては、多くの批判のあるべきことは察するに難くない。しかし、私は本書がこの新しい分野における教育に対して、少くとも問題を提供するだけの意味を有しうることを期待するものであって、この見地より私が行つたところの「法学教育」に対する批判が、次第に共鳴を見出しつつあることは、感慨なしとしない。そしてもし本書が将来法曹の道へと志す者を多からしめるに役立つならば、私の望外のよろこびとするところである。なお本書は、法曹教育についての問題を網羅的に取り扱ったものでないことと、本書に述べるところが私の司法研修所在任中における私個人の見解であることを明かにしておきたい。累を現在の司法研修所に及ぼさないためである。

本書の成るに当り、私は司法研修所事務局長杉山判事が統計その他の新しい資料の蒐集および校正について援助されたことを、心より謝するものである。また私が先に司法研修所というわが国独自の制度をアメリカなどに広く紹介するに当り、協力されたラビノウィッツ氏と司法研修所教官田辺判事の厚意を追想して、ここに感謝の意を表するものである。

昭和三十五年七月三十日

成宗にて

松田二郎

目次

法曹教育……一
実務としての法律学……三七
民事裁判の体験……七一
巣立ち行く法曹への希望……九三
アメリカの法学教育
――日本のそれと比較して――……一一一
弁護士会における実務修習……一七一
司法研修所の回顧と展望……一八〇
付録(司法修習生指導要綱)……二〇三
索引……巻末

法曹教育

一　法学教育と法曹教育

一　法曹教育の必要性

民主主義の社会は、法の支配すべきところであり、基本的人権がもっとも重視されるべきところである。したがって、直接に法を掌る者、すなわち法曹の行う役割とその社会的影響は、きわめて大きい。この点より考えて、法曹の養成は社会一般の最大の関心事となるべきである。しかるに、わが国では、従来このことは余り問題となっていない。法曹の養成は医者その他の養成ほどにも、問題にならなかったのである。これは、はなはだ不合理なことである。

さて、わが国では多くの者はまず大学における法学教育によって法律学の基礎的知識を与えられるのであるが、法曹となるためには、さらに司法試験の関門を通過した上、司法研修所に入り司法修習生として、二年間の修習を受けなければならない。そしてこの二年間の修習の最後には、いわゆる第二回試験があるのであって、これに及第すると、初めて裁判官・検察官または弁護士となる資格が与えられ、ここで法曹――法律実務家――の一員となるのである。何人も職業選択の自由が憲法上保障されているが(憲二二I)、人は欲するに従って、自由に裁判官・検察官または弁護士になり得るものではない。そればかりでない。一旦裁判官となった者に対しても、司法研修所でしばしば実務に即した研修が行われるし、検察官となった者に対しても、法務総合研究所で研修が行われているのである。そしていわば一人前の裁判官、すなわち法律でいうところの「判事」となるためには、裁判官であれ検察官であれ弁護士であれ、またはこれらのものに跨って、法律実務家としての経験が少くとも十年要求されている。「一業十年」といって、一つの職業で一人前となるためには、少くとも十年の歳月が必要だといわれるが、法曹の道ではこのことがそのまま行われているのである。どのような大学出の秀才であっても、一躍して「判事」となり得ない。このように法曹の道は、多年の修業の上に、経験をも必要とするのであって、この点で医者の道に共通するものが少くない。医者が貴重な人命を取り扱うに対して、法曹は人々の基本的人権を擁護し、かつ公共の福祉を維持することをその任務とするからである。それは、営業でなくて、プロフェッションである。そして無良心の医者や能力の乏しい医者が存在してはならないと同様に、無良心の法曹や能力の乏しい法曹は存在すべきではないのである。いわゆる「やぶ医者」が許されないと同様に、「やぶ的法曹」も許されるべきでない。民主主義の社会は、「法の支配」(rule of law)すべきところとして、そこでは暴力や情実が行われてはならないのであって、貧者や弱者の権利も充分に守られなければならないのは、いうまでもない。それは新憲法の理念とするところであり、現実にこれを実現しなければならない。したがって、新憲法の下では、法の運用を掌るところの法曹の任務はきわめて重く、法曹の養成はきわめて重要な意味を持つのである。

二　法学教育に対する法曹教育の意義

現在わが国には約五百の大学が存在しているのであって、その数の余りにも多いのに驚くのであるが、(一)そのうちの法学部または法文学部などには法律専門の教授陣が控え、その学生数もはなはだ多いのであって、一見法学教育はまことに隆盛の観を呈するのである。しかし、周知の如く、わが国の法学部の出身者のうち、純粋に法律実務家の道を採る者、すなわち裁判官・検察官または弁護士となるものは決して多くないのである。もっともこのような道を志したとしても、そこには司法試験という難関があって、その突破は容易でないにせよ(二)――司法試験は受験者百人について合格者は四人か五人程度である――法学部出身者の大半は官庁ないし会社に職を奉ずるようになり、法律とは全く縁遠い仕事に従事することとなるのである。そこでこの実態に即して、法学部のコースを「通常コース」と「法職コース」とに分とうとする考え方が存在している。(三)これは注目さるべきであることを失わない。しかし、このように法学部において法律家にならない者の養成のためのコースを「通常コース」とよぶことは、皮肉にも法学部における法律家養成のコースをば、いわば「例外的コース」とも考えていることを示すのである。この点で、法学部の教育は医学部の教育が卒業生の医者になるのを当然の前提としているのと、全く趣を異にしている。したがって、わが国の現状では、法学部に対して、法律家養成を期待することは無理である。また法学部でそのような教育も行われていない。このように考えてくると、わが国の「法学部」は、その名にふさわしくなく、その卒業生の多くは、「法学士」の名に値しないのである。わが国では、とかく「法科万能」の弊が云々されているが、これは、おかしいのである。私の見るところでは、法学士の多くは法律学を学ぶことによって思考力・判断力の養われた点は別として、やがて法律学を学んだ名残すら止めないようになってしまっている。この意味で、法学部の教育は法律家養成の教育であり得ない。かくて法律実務家すなわち法曹となるための専門的教育は、司法研修所で初めて始まるといっても、あながち過言ではないだろう。もっとも、大学においても、その法学教育の延長として修士や博士のコースがあるが、それは法律学者養成のためのものであって、法律実務家養成とは、直接の関係がないものといってよいであろう。このようなわけで、わが国では大学の「法学教育」のほかに、法曹すなわち法律実務家養成のための「法曹教育」が存在している。そして従来わが国では、「法学教育」すなわち大学における法学教育については論ぜられたが、法律実務家養成の教育を取り上げて論じたものは、ほとんどない。しかし、われわれは「法学教育」に対する「法曹教育」の重要性と特殊性を認識しなければならない。新憲法の下で、国民の基本的人権が擁護され、また公共の福祉が守られなければならない以上、法を取り扱うところの裁判官・検察官および弁護士の養成に対して、われわれは無関心であり得ない。よき裁判官、よき検察官およびよき弁護士によってのみ、法は維持されうるからである。

右の点に関連して、ドイツの例を見ると、ドイツの大学の法学部は、わが国の大学の法学部とかく同一視されるが、そこに大きな根本的の相違がある。すなわち、ドイツの大学の法学部の卒業生の大部分は、わが国の司法試験に相当する国家試験を受け、レフェレンダール（Referendar）すなわち司法修習生ともいうべき者になるコースをとるのであって、したがってドイツの大学の法学部は法律実務家養成の準備的段階といいうる。この点は、わが国の大学の法学部と大いに趣を異にしている。しかも注意すべきことは、わが国では、ドイツ人が観念的であるため、ドイツの大学の法学教育もきわめて観念的であると考えられているが、事実はこれに反してかなり実際的であるのは、その教育が実務家養成をめざすに因るからであると考えられる。アメリカのロー・スクール（law school）は、いうまでもなくローヤー（lawyer）の養成機関に徹底しているのである。(四) そして法律実務家養成をめざす教育が、「具体的事実」を重視し、この観点の下に、法の運用を教えるのは当然である。このように考えてくると、わが国の大学の法学部の教育は、特殊な変態的形態ともいいうるのである。すなわち、わが国の大学の法学部はその名に値せず、法曹養成の機関でなかったのである。しかも、このことが従来あまり問題とされなかったところに、却って問題があるのである。そしてその一番の問題は「具体的事実」に関心を持たしめず、法律のみを学べば法律を運用できるとの不当な考えを醸成した点であろう。思うに、これは沿革的に帝国大学の法学部が行政官吏の養成機関であったからであろう。そしてその法律学科の卒業生が大正末期まで無試験で司法官試補（略〻現在の司法修習生に該当する）に採用され、また無試験で弁護士の資格が与えられたのも、わが国の一般が司法に冷淡であり、法曹養成に関心が少かったことを示すものであろう。結局、それはまたわが国が、民主国家として充分発達していなかったためである。

（注一）

A 大学数

区分	大学数	内容：大学院を置くもの	内容：夜間部を置くもの	内容：専攻科を置くもの	内容：別科を置くもの	内容：通信教育を開設するもの	内容：短期大学を置くもの	短期大学数	合計
国立	七二	二五	六	五七	一四		二三	二四	九六
公立	三二	九	四	五			八	三八	七〇
私立	一三五	四四	三九	一七	一二	七	六一	二一〇	三四五
計	二三九	七八	四九	七九	二六	七	九二	二七二	五一一

B 大学、短期大学、大学院の中法律を教授している部、科をもつ大学数および卒業者（昭和三十四年三月）数

a 大学

区分	国立		公立		私立		合計	
	学校数	卒業者数	学校数	卒業者数	学校数	卒業者数	学校数	卒業者数
法学部	九	一、六五八	一	一三〇	一八	一〇、三一七	二八	一二、一〇五
法文学部	三	三六三					三	三六三
法経学部			一	六三	三	四八八	四	五五一

法商学部					一	一四六	一	一四六
合計	一二	二、〇二二	二	一九三	二二	一〇、九五一	三六	一三、一六五

〔注〕 法学部については政治学科の卒業者を含む。
法文学部、法経学部、法商学部については法学科の卒業者のみを計上した。

b 短期大学

区分	国立		公立		私立		合計	
	学校数	卒業者数	学校数	卒業者数	学校数	卒業者数	学校数	卒業者数
法科に関するもの					五	四二九	五	四二九
法経に関するもの	二	一七二	一	一三七	三	二二四	六	五三三
合計	二	一七二	一	一三七	八	六五三	一一	九六二

(注二) 司法試験の合格者数は、昭和三十三年度三四六人、昭和三十四年度三一九人であったが、昭和三十二年度以前その合格者は三〇〇人以下であり、少いときは二二四人（昭和二十八年度）のこともあった。それは、わが国の試験のうちで、もっとも困難なものである。

司法試験に関連して、これに合格した者を司法修習生に採用しないことができるかの問題がある。かつては司法試験に合格した者は、たとえ病人であってその病勢が進んでいても（これは主として肺病についてであった）、ほとんど司法修習生に直ちに採用していた。しかしその結果、採用された司法修習生は決して幸福でなかったのである。病勢が進み、中途で倒れるものを生じたからである。ここにおいて、健康上の理由で、司法修習生としての採用を延期する事例を生じた。その間に療養させるためである。また禁錮以上の刑に処せられた者も、司法修習生として採用されていない。そしてかかることは、裁判所法が「司法修習生は司法試験に合格した者のうちから、最高裁判所がこれを命ずる」（裁判所法六六条一項）と規定することからしても、是認されるのである。この点に関連して、司法修習生の採用に際しては思想調査が行われ、その結果不採用になるものがあるとして、これを攻撃する者がある（裁判問題研究会・裁判官白書二三頁以下）。しかし、思想の自由は憲法の保障するところであり、司法修習生採用に当っても、このことが保障されることは当然である。ただ自己の思想を直ちに実行に移し、司法修習生全体の修習を妨害することが明かな者を、司法修習生として採用すべきでないだろう。その懐く思想を直ちに実行に移す者のあることは、現時の学生運動より見て、稀なこととはいえないからである。もっとも一部の論者は、かかる実行運動をする虞のある者でも、一旦は司法修習生として採用すべく、もし実行運動を敢てしたときに、これを罷免しても遅くないというかも知れない（裁判所法六八条、司法修習生に関する規則一八条参照）。しかし、司法研修所も、一つの学園であり、その学園がかかる者の入所によって、荒されることを防止しようとするのは、当然であろう。ただし、この点については、きわめて慎重たるべきであろう。たとえば、かつて学生時代に一時的の行き過ぎの行動があったため、不採用とすることは、不当だからである。

（注三） 大学基準協会十年史一九六頁。

（注四） 日本公法学会と日本私法学会は、昭和三十三年秋、法学教育について合同研究会を開いたが、その後これをまとめた「法学教育」を刊行したが、そのうちにイギリス、アメリカ、フランス、ドイツの法学教育についての報告が載せてある。なおドイツのそれについては、三ヶ月章「ドイツの法学教育について」、ウィルヘルム・レール「ドイツの司法修習生の生活について」（司法研修所報二一号）、杉山克彦「戦後のドイツにおける法曹養成」（司法研修所報一六号）。なおアメリカの法学教育について、本書一一一頁以下。

二　法曹教育の機関（司法研修所）

わが国の法曹養成の機関の沿革について、きわめて簡単に一言すると、昭和十四年に司法省に「司法研究所」が置かれ、裁判官および検察官の研究を掌るほか、高等文官試験（司法科試験）に合格したもののうち裁判官または検察官たるべき者、すなわち「司法官試補」の修習に関する事項を所管することとなった。これはドイツのレフェレンダールの修習に倣ったものであるが、弁護士となる者の修習を担当していなかった。もっとも昭和十一年には、司法科試験に合格し弁護士となる者のために、「弁護士試補」の制度が設けられた。かくて司法官試補と弁護士試補、すなわち在朝法曹と在野法曹は、その養成方法を異にしていたのである。しかるに、終戦後法曹はすべて一体たるべしとの理念のもとに、司法試験に合格して裁判官・検察官および弁護士となるべき者を「司法修習生」と名づけ、これを一つの機関の下に養成するに至った。これが最高裁判所の発足とともに、その下に置かれたところの司法研修所であり、(一)昭和二十二年十二月一日初めてその修習を開始した。

終戦後新たに発足した諸制度に対しては、現在いろいろの批判が加えられ、再検討の必要が叫ばれているものが少くない。そして新たな教育制度も、その例に洩れないのである。ことに教育制度や教育方法については、各人は容易に一言居士たりうるのであって、批判はますます盛んになりがちである。そして司法研修所も法曹の教育機関として考えるべき問題が少くないのであるが、しかし、おそらく、それは終戦後の諸制度のうちで、もっとも幸福な発展を遂げてきたものの一つといいうるであろう。(二)これは法曹の後継者を育成するという目的のために、裁判所・検察庁および弁護士会が一致協力したためにほかならない。そしてまた学界の支持・後援の大であったことも忘れることができない。そして司法試験に及第した者の学歴や経歴は、決して一様でなく、そのうちには年齢のはなはだ高いものもあり、毎年女性もまた数名ないし十名前後いるが、これらの多種多様の者が、それぞれ自己を育て自己を伸しつつ、司法修習生としての共同生活を送り、やがて卒業後それが法曹の各分野に巣立って行くのは、一つの偉観である。現在その出身者は二千数百名を超え、わが国全法曹約一万の四分の一を占め、裁判官・検察官および弁護士の若い層はほとんど全部この出身者によって占められている。そして司法研修所がわが国の法曹養成の唯一の機関であることを考えるとき、わが国の裁判所・検察庁および弁護士会の将来の気運のために、またわが国の法治国としての今後の発展のために、司法研修所の果すべき役割はきわめて大きい。アメリカではかつて、法曹の養成が弁護士事務所で徒弟的方法によって行われたが、ロー・スクールの擡頭によってこのような従前の方法は単に形骸を残すに過ぎないものとなって、法曹教育は画期的の変革を遂げた(四)と同様、わが国では司法研修所の発足によって徐々にではあるが、法曹の間に根本的・本質的の変化を生じつつあるのである。私は終戦後の混乱期にあって早くも司法研修所という新しい制度を構想し、これを実現せしめた先覚者の卓見を偉とするものである。ちなみに司法研修所は、わが国独特の制度であって、欧州にもアメリカにもその例を見ないものである(五)。

ただ現在において、司法研修所は二つの目的を持っているのであって、司法修習生の修習指導のほかに、裁判官の研修も担当しているのであるが、あるいは将来この二つの機能を分離して、別個の機関に担当せしめることの必要を生ずることもあるであろう。そして私の夢想するところを述べるならば、わが国の裁判官・検察官・弁護士さらに法学部の教授などをも含めた人々の間に一つの法曹たる共同の意識が生じ、それに基づいて全法曹を含む団体ができ、その団体が自己の負担において国家の厄介にならずに、後進育成のため司法研修所を運営するに至れば、それがおそらく理想的の形態であろう。ちなみに、アメリカのバー・アッソシエーション（bar association）をわが国では、しばしば弁護士会と訳しているが、それは弁護士のほか裁判官・検察官並びに法律専門の大学教授やさらにバーの試験に合格して現に政治界・実業界などに活躍している者をも包含する団体であって、その最大のものであるアメリカン・バー・アッソシエーション（The American Bar Association）は、法曹教育に多大の貢献をしているのである。(六) わが国の日本法律家協会はアメリカン・バー・アッソシエーションのごとき団体となることを目標としているものと思われるのであるが、発足の日も浅く大きな力となっていない。わが国において、アメリカン・バー・アッソシエーションのような実力ある法曹の団体が生じたとき、おそらく司法研修所の運営を託しうるものとなるのであろう。(七)

（注一） 司法研修所ないし司法修習生に関しては、座談会もしばしば行われている。そして司法研修所が創立後十年余の間に果した成果は、一般的に認められているといい得よう。「司法研修所十年を顧み、司法修習生制度を検討する」（ジュリスト一五二号昭三三・四・一五）参照。

（注二） この点につき、「法曹を志す人々のために」（ジュリスト一二八号昭三二・四・一五）、「司法教育」（ジュリスト八八号昭三〇・八・一五）、「司法修習に関する懇談」（自由と正義八巻二号昭三二・二月号）参照。もっとも近時批判的のものも出ている。「司法修習生の思想と生活」（法学セミナー昭三四・九月号）。裁判問題研究会・裁判官白書三一頁以下。

(注三)　わが国の法曹人口につき、本書三〇頁以下。

(注四)　本書一一六頁参照。

(注五)　私は司法研修所の紹介を書いた。Jiro Matsuda, The Japanese Legal Training and Research Institute (The American Journal of Comparative Law, Vol. 7. No. 3. Summer 1958). この論文が契機となって、司法研修所は、他の国でも、関心を持たれている。たとえば、The Burma Law Institute Journal, Vol. I. No. 2 参照。

なおハンブルグ地裁判事レール氏 (Röhl) は、先年日本に来られた際、司法研修所に関心を持たれ、帰国後これをドイツに紹介された。Röhl, Die Referendarausbildung in Japan (Juristenzeitung, 1957, Nr. 11. S. 331 ff.). ちなみに、同氏は再び来朝され、目下ドイツ文化研究所長である。

なおフランスでは一九五八年に新たな法曹養成制度が設けられたとのことであるが、私は未だその内容を遺憾ながら詳にし得ない。

(注六)　アメリカン・バー・アッソシエーションについては、田中耕太郎博士の詳細な紹介がある。「アメリカン・バー・アッソシエーションの歴史と活動」(法の支配と裁判所収)。注意すべきことは、アメリカン・バー・アッソシエーションは、任意加入の団体であることである。

(注七)　日本弁護士連合会は「司法研修所を弁護士の研修所に切替え、日本弁護士連合会の管理に移す」ことを決議し、その旨の立法を主張している。この点につき、松本正雄「弁護士法等の一部を改正する法律案についての概要」(自由と正義九巻一号昭三三・一月号) 参照。この弁護士会の主張は、いわゆる法曹一元論、すなわち裁判官および検察官を相当期間弁護士の経験ある者のうちから選任すべしとの主張の一環をなすものであるが、わが国の現状で、裁判官・検察官および法律学担当の大学教授を除外して、弁護士の団体である日本弁護士連合会だけで司法研修所を所管しようとする考えには、にわかに賛成できないし、また日本弁護士連合会が国庫よりの金によって司法研修所を運営するということは、憲法第八九条との関係で疑義があるのではないかと思われる。日本弁護士連合会会長であった吉川大二郎氏も、現在においては、最高裁の下における司法研修所を中心とする法曹養成制度に満足するはかはないといわれている (「弁護士修習の概況と課題」法律時報昭三五・四月号一九頁)。

三　法曹教育の特異性

司法研修所における司法修習生の二ヵ年の修習の輪郭は、すでに知られているところであるが、(一) まず簡単にその修習の概況を一瞥したい。

一　司法研修所における法曹教育

司法修習生は少くとも二年間の修習をしなければならないのであるが(裁判所法六七)、この二年間の修習の順序を述べれば、新たに採用された司法修習生は、まず司法研修所で四ヵ月間の修習（いわゆる前期の修習）を受け、ついで司法研修所長の定めた実務修習地の裁判所・検察庁および弁護士会における修習に入る。この間裁判所八ヵ月（うち民事、刑事各四ヵ月）、検察庁四ヵ月、弁護士会四ヵ月の修習を行い、これが終ると再び司法研修所に帰って、四ヵ月の修習（いわゆる後期の修習）を受けることになるのである。司法修習生の修習指導の方針については、「司法修習生指導要綱」が制定されている。

(1)まず、司法修習生が司法研修所に入ると、前期の修習が始まる。司法修習生は、約五十名をもって一組とする七組に分れ、民事裁判、刑事裁判、検察、民事弁護および刑事弁護の各教官一名ずつ計五名の教官が各組の担当教官となって修習指導にあたる。

この前期の修習は、まず裁判・検察および弁護制度の機構と、その手続の概略を実務の面より説明し、その各々の使命を明かにすることから出発する。そこでは、大学で学んだ法律学と、司法研修所で行う実務に即した修習との関係、ことに、法律実務は、すでに確定された事実に対して法律を適用してゆくものではなく、まず生きた事実をいかに把握し、いかに判断し、確定するかが重点であることが強調される。したがって、教材は実際に存在した事件記録を印刷にしたものを用い、修習は講義式よりも、教官と司法修習生との間の討論を主眼としている。これを民事裁判の修習についていえば、訴状から最終の口頭弁論までの記録、すなわち訴状、答弁書、準備書面、各種の申請書、口頭弁論調書、証人調書などの一切の書類を具えた記録がそのために用いられ、まずその記録の読み方から始まり、その記録のうちにある事実関係の把握、法律問題の検討、釈明や証人尋問の巧拙などを、この記録を通じて学び、さらにこの記録に即して判決の起案を行う。この修習方法は「ケース」に即した修習である。これに並行して商事、行政、労働事件、保全処分事件などについての講義も行われる。刑事裁判、検察、民事弁護および刑事弁護の修習方法は、各々その特色があるが、趣旨は、民事裁判の修習と同様である。

なおそのほか、英、独、仏等の外国法律書の輪読や、法律実務家として必要な補助科学、すなわち法医学、精神医学、犯罪心理学、会計学などについて各専門家の講義があり、その他一般教養科目についての講演や見学が行われる。

(2)実務修習地における修習の順序は各地によって必ずしも一致していないが、いずれも生きた事件について修習が行われる裁判所における八ヵ月は、民事・刑事の各四ヵ月にわかれ、合議部・単独部にそれぞれ所属して、各裁判官の指導のもとに、弁論あるいは公判を傍聴することにより、裁判長の訴訟指揮や証拠調を実地について見聞し、訴訟手続の進展と心証形成の経過を知り、判決の起案に習熟する。なお、この間家庭裁判所の実務についても、若干の修習が行われる。

検察庁においては、係検事の指導によって被疑者および参考人の取調の修習を行い、起訴状あるいは不起訴裁定書の起案をするほか、公判の立会に同席して訴追官の側からみた訴訟手続の運行を修習する。

弁護士会においては、個々の法律事務所に配属され、担当弁護士の指導により、依頼者から具体的事情を聴取して訴状、答弁書、準備書面などの起案をするほか、弁論あるいは公判に同席して証人尋問や弁論の要領を見聞するなど、弁護士としての実務を習得するのである。

(3) 各実務修習地における一年四ヵ月の実務修習を終え、再び司法研修所に帰ってくるのは通例十二月初旬である。そして翌年の四月初旬まで四ヵ月間司法研修所において前期と同様の要領で後期の修習が行われる。ただ、前期の修習には実務修習地における実務修習のための準備的意味があるのに反して、後期の修習は総仕上的な性質をもち、したがって、各科目とも前期よりははるかに高度のものである。また後期においては、通常の講義のほかに有志修習生を対象として、尋問技術、供述心理、証拠法、審理の促進充実、弁護士倫理など特定のテーマをとり上げたセミナーを行っており、その間に一般教養科目が挿入される関係上、非常に充実した日程となっている。

このようにして二年間の修習を終え、その最後に行われる試験（いわゆる第二回試験）に合格した司法修習生は、四月初旬の終了式において教官同僚との交誼を惜しみつつ、各自の志望する分野へ巣立ってゆくのである。

二　法曹教育の特異性　(1)事実認定

次に大学の法学部の法学教育と司法研修所の教育を比較してみると、後者は前者の基礎の上に行われ、この意味で後者は前者の発展であるといいうる。この点で司法研修所は大学の基礎的教育に依存するものである。しかし、大学の法学教育が、実用性を重んじ、また、判例などを重視したとしても、そこでは「事実」は、すでに確定されたものとして、その上に法律論が展開されるのであるが、司法研修所の教育は、「生きた事件」の「生きた事実関係」をどのように把握し、どのように理解するかということを中心とするのである。そして私の経験によれば、生きた事件は、一見きわめて簡単に見えるものでも、複雑な社会関係から生じたものであって、必ずしも簡単でない。生きた事件を正確に把握するのが、法曹の仕事の中心であるから(二)、そのための修業が司法修習生の修習とさえいいうるのである。したがって、司法研修所に入った司法修習生は、まず第一に、大学で教えられなかった「事実認定」について教えられる。情況証拠をどのように判断するか、また、具体的事件につき、心証が形成されてゆく過程を告げられる。そして右に述べたように、二年間の修習期間のうち、司法修習生は一定期間、裁判所・検察庁および弁護士会に配属せしめられて、直接に、裁判官・検察官および弁護士指導のもとに実務を修習するが、その重点は「事実」についてである。そして法廷における訴訟指揮や証人尋問は、この間に学ぶべき重要なことである。けだし、これによって「事実」が発見され、確定されてゆくからである。

右の点に関連して一言すべきことは、大学の法学部では、憲法、民法、商法、刑法、民事訴訟法、刑事訴訟法のいわゆる六法その他について、単位制がとられているが、司法研修所の修習科目については、大学におけるような単位制もなく、いわゆる六法についての講義もない。したがって、もし司法研修所の実態を知らないならば、法曹養成の機関たる司法研修所は憲法は勿論、六法全部を無視して、末梢的技術のみを教えるところと評されるであろう。しかし、司法研修所における修習においては、各法域の法律が「事実」を中心として、各関連しつつ研究されてゆくのである。ことに大学の法学教育におけると異なり、実体法と訴訟法とが一体のものとして取り扱われるところに、修習の特色があるのである。

もし法学部の教授と法律実務家の仕事との関係を医者に例を採るならば、病理専攻の学者と臨床医との関係に比較できるであろう。法律実務家は、裁判官であれ、検察官であれ、弁護士であれ、いわば臨床医である。したがって、抽象的な理論のみを好み、具体的の事実関係に全然興味を覚えない人――もっともだれでも若いときはこのような傾向があるが――は、法律実務家たるに適しないであろう。

法律実務家はあくまで臨床医である。したがって、学問的情熱の必要なのは当然であるが、みずから手を下して診断し手術する臨床医の如く、決断力・実践的態度が必要である。研究の名の下に、事件の処理をいたずらに遅延させたり、または単にオブザーバー的に批判のみを行って、みずから行動しないことは、許されるべきでない。

三　法曹教育の特異性　(2)技術性

いずれの専門も、多かれ少かれ技術的な面を伴うものであるが、法曹の道も例外ではない。したがって、司法修習生に対しても、法曹たるための技術的訓練が要求される。法廷の指揮や証人尋問にも、技術的要素が含まれている。私は今そのうちの一つとして、起訴状・訴状・準備書面ないしは判決の起案について述べてみたい。

かつて司法官試補時代の修習では、起案がいちばん重要視され、過去の事件についての起案の練習が大いに行われ、主として、その巧拙によって司法官試補の優劣がきめられた。これは、たしかに行き過ぎである。そして判決その他の起案は、司法修習生の修習しなければならないもののうちの一つであって、全部でないことはいうまでもない。司法研修所としても、起案は決して修習の中心をなすものとも考えていないし、かつてはいわゆる第二回試験は判決起案を中心として行われたが、現在では第二回試験の問題は、実務に即したケースを司法修習生がどのように判断するかを主としている。

しかし、起案も決して軽視してはならないものの一つであることも、忘れてはならない。一体、われわれが、事件について、頭で考え、また口で議論するとき、事実認定および法律的判断について、充分の自信があるように思う場合ですら、一度筆をとると容易に自己の考えを表現できないことが少くない。この場合、単に表現の技術が拙劣なために表現できないものだといいきれないのである。私の経験によれば、自分の考えが粗雑であるために、文章にまとめ得ないことが多い。そして書くという「技術」を通じて、思想が整頓されるのである。しかし、若い者は専門的の修業を行うべきときですら、なお「技術的」なものに対して本能的の反撥を感じ、さらに「技術的」ということを「精神的」ということに対比せしめる。そして専門家たるために必要欠くべからざる技術をも、「精神的」でないと考えて、軽視しがちである。われわれ自身も、このような者であったが、そこには多くの誤りがある。技術には技術相当の価値を認めつつ、その技術の奉仕すべき目的を常に見失わないことが必要なのである。

この点から考えると、「起案」は、いわゆる作文の練習と違って、法曹として必要な簡にして要を得た正確な日本文を書くための修業として、無意味ではないのである。われわれは、アメリカ人は当然に英語に堪能と思うが、アメリカにおいて法曹教育のため英語力の涵養の必要性が強調されているのは、大いに注目されるべきことである。

四　法曹たるの適性

本来法律学の研究には天才は必要でないといわれるが、法律実務家たるには天才は必要でないばかりでなく、場合によっては有害なことすら生じうる。また、いかに主観的には正義感が強くても、無政府主義的思想を懐き、または一切の権威を否定するものも同様である。一面において、いかに秀でていてもバランスの採れていない人は、あるいは芸術家たるに適することがあっても、法律実務家たるには適さない。具体的事件について、当事者に有利な証拠ばかりに心を奪われたり、また当事者に不利な証拠ばかりを重視するものは、たとえその主張が真面目であっても、その観察は片面的であって正しいといえない。それは偏見か予断を持った歴史家の観察に似ているともいえよう。法律実務家は、「生きた事件」を取り扱うものとして、鋭い洞察力を必要とするが、健全な常識と健全な判断力こそ必要なのである。

右の点に関連して、法曹たるためには、どのような適性が必要であるかという問題がある。わが国では、このような点はあまり論ぜられていない。しかし、司法試験によって、法曹すなわち裁判官・検察官および弁護士となるものが選択されるのであるから、司法試験に際して法曹たるべき者の適性が検査されるべきであろう。司法試験の科目をいかにすべきかの問題もこれに関連するのである。(三)アメリカはわが国と法曹養成の方法を異にしているのであって、概して大学卒業後ロー・スクールに入り、そこを卒業してからわが国の司法試験に該当する試験（bar examination）に合格して、法曹の資格が与えられるのが、通例の過程であるが、ロー・スクールに入学するに際しては、わが国の入学試験のようなものはなく、ロー・スクール・アドミッション・テスト（Law School Admission Test）というテストが行われている。それは法律の知識の試験ではなくて、法律を学ぶ能力を測定するのであって、そのためには読書力・理解力・推理力などを試験するのであるが、その効力はきわめて良好といわれている。（四）私は、従来これについてわが国の関心の喚起に努めたが、余り注意されていない。

（注一）司法研修所の全貌をもっとも簡単に知るには、同所発行の司法研修所要覧がよい。なお兼子・裁判法二五八頁以下。
（注二）裁判実務における事実認定の重要性について、本書七一頁以下。
（注三）この点について、本書一九四頁以下。
（注四）この点について本書一一九頁以下。ロー・スクール・アドミッション・テストの紹介として、司法研修所報一六号参照。

四　法曹教育の諸問題

一　普通教育としての法曹教育

司法研修所における教育は法律実務家となるための専門教育ではあるが、しかし裁判官となるためばかりの教育でもなく、また検察官や弁護士になるためばかりの教育でもない。それは裁判官・検察官および弁護士という法律実務家の三部門について、その一応の修習を行い、そのいずれにもなることができるための基礎教育である。この意味で、司法研修所の教育は、法曹のための「普通教育」である。（一）そして裁判官・検察官および弁護士の三者は、本来同じ目的を持ち、同一の目的に奉仕すべきものであって、ただ直接その掌るところが異なることによって生じたところの、分業に過ぎない以上、司法修習生は修習について、一方に偏することのないように注意すべきである。たとえば、ある者が将来裁判官を志望しているとしても、その者がそのために、検察や弁護の修習を怠ってはいけない。かえって、自分が将来志すこと以外の分野についての修習を充分積んでおくべきであり、それが他の分野に対する理解となり、将来法曹として大成するゆえんなのである。同様に弁護士を志す者は、修習中において、ことに裁判・検察の修習を心がけるべきである。もっとも、ある裁判官は、司法研修所は裁判官の養成に主力を置くべきであると主張し、また、ある弁護士は司法研修所は在野法曹の養成に主力を注ぐべきものであると主張し、司法研修所が一般法曹養成のための「普通教育」を行いつつあることに対して、不満の意を表したことがある。そしてもし司法研修所がその態度を改め、裁判官・検察官または弁護士となるもののために、全く別個の教育を施したならば、司法研修所出身者はその各部門で、今より幾分直ちに役に立つかも知れない。しかし、このような考えを貫くときは、やがては司法研修所を廃止して裁判官・検察官および弁護士養成の三機関を設けることとなり、法曹の三部門の者は異なった教育を受けて鼎立するに至ろう。これは、「法曹は一体たるべし」との理念に逆行するものである。(二)私の予測するところによれば、司法研修所の出身者、いわば司法研修所という同一母校からの卒業生が在朝在野法曹の大半を占めるに至ったとき、法曹の一体化はおのずから実現されるのである。司法修習生は、裁判・検察および弁護の三部門を修習することによって、法曹としての共通の意識が養われ、将来そのうちのどの道を選んだにせよ、自己の選んだ道のみが正しいものであるとの独断・偏見に陥ることから救われるのである。わが国が現在当面している司法制度の根本的改善も、この三部門における法曹の共通の意識の下においてのみ、可能なのである。

二　法曹教育と専門的研究

司法研修所は、右のように法律実務家のための普通教育を施すところであるが、社会の発展とともに、法律の分野も拡大されてゆき、法律学者のみならず法律実務家のうちにも専門家の輩出することが要求されてくるのである。それは、あたかも臨床の医者のうちにも内科・外科・小児科その他の専門医が必要であることに似ている。しかし、司法研修所の僅か二ヵ年の修習期間で、専門家を養成することは、到底できないのである。

一体、法律実務家は裁判官であれ検察官であれ、また弁護士であれ、その有する法律的知識は一般的にいえば、大学の法学部の教授が各専門領域において有する蘊蓄に比較すると稀薄なるを免れないが、しかし、その間口が広くその知識が各法域にわたっていることを特色としている。法律実務家は眼前の法律現象に幻惑されない限り、すなわち個々的現象に心を奪われてその背後に存する理論をゆるがせにしない限り、広い視野に立ってものを考えうる長所を有するのである。(三) したがって、司法研修所は司法修習生に対して、法律実務家のこのような長所に着眼しつつ、広い視野に立って、少くとも修習期間中から一つの具体的問題を取り上げ、それを将来深化して研究するための準備をすることを奨めている。元来、わが国では、不幸なことではあるが、実務家の一部の者は、学問ないし理論は実務と相反するものと考え、少くとも両者は縁遠き存在であると確信しているのである。法律実務のように経験を重んじ英知を重んじなければならない領域では、半可通の生硬な理窟を振り廻されることは、迷惑であるが、しかし実務に即した学問が必要であることはいうまでもない。そして、この点についての司法研修所の年来の努力は報いられて、近時そのロー・レビューともいうべき「司法研修所報」には、毎号若い司法修習生ないしはその出身者によって、研究論文が多く発表されるに至っている。しかもその取材は、多くは実務のうちからなされている。もっとも若い者の書くものであるから、その内容や体裁に不備の点がないとはいえないが、しかし、私はそこに実務に即しての学問、さらにその専門化の萌芽を見て、よろこびに堪えないのである。

三　法曹倫理

法曹としての倫理をどのような方法で教えたならば、よいのであろうか。これは法曹養成において、きわめて大切な問題である。あたかも医術は仁術であるとして、医者について高度の倫理性が要求されると同様のことが、法曹についても要求されるからである。しかし、若い司法修習生に対して、声を大にして抽象的に法曹の責任や使命を説いても、あまり効果ありとは思えない。さりとて、放任しておくべき問題でもないのである。

一体法曹の人格涵養については、先輩の感化・影響によることが多い。わが国の裁判官・検察官および弁護士がそれぞれ貴い伝統を築き上げたのは、これらの仕事に従事した人々の人格の力であり、それが先輩から後輩に伝えられて来たのである。卓越した弁護士の事務所で、長い間訓練され指導された若い弁護士が、おのずからその話し方・歩き方までその先生に似るようになるとのことは、真実であろう。この点で、イギリスでバリスターになる要件として、晩餐に列することが要求されていることが思い出される。おそらく先輩と晩餐を共にするときは、おのずからその感化を受けるからである。この意味で、司法研修所の教官や現地において司法修習生の修習を指導担当するところの裁判官・検察官または弁護士の責任は重大であり、したがってその人選は、きわめて慎重を要するのである。私は、この点の人選が、裁判所や検察庁における席次や弁護士会における勢力関係によって、行われないことを強く要望するものである。

叙上のことと並んで、「弁護士倫理」について一言したい。近年、わが国でもアメリカに倣って日本弁護士連合会が弁護士倫理を制定したが、わが国の現状では、残念ながら、「弁護士倫理」という概念すら、未だ必ずしも一般に正しく理解されていない。「弁護士倫理」というのは、弁護士が依頼者から預った金を使い込んではいけないというような問題ではない。それは弁護士倫理を俟つまでもなく、人としての道徳の問題である。弁護士倫理とは、弁護士としてのプロフェッションの倫理である。したがって、弁護士倫理を守るためには、これについての知識が必要となる。たとえば、わが国の弁護士倫理第八条は、弁護士が広告をすることを禁じているが、これに該当するアメリカの弁護士倫理規範の条文には、「弁護士は直接たると間接たるとを問わず、広告してはならない」と規定され、どういう行為が広告に該当するか否かについて、きわめて詳細な理論的研究が遂げられている。弁護士が弁護士としての品位、社会的信用を維持するためには、単に道徳に違反したり法を犯したりしないだけでは、足りない。それ以上に、弁護士としての規範、すなわち「弁護士倫理」を守らねばならない。そして、それは単なる道徳律でなく、これを守るには専門的の知識をも必要とするところに大きな意味があるのである。(四)

四　一般教養

法曹は生きた事件を取り扱うものであるから、豊富な経験・該博の知識が必要とせられるのであるが、従来往々にして法律家、ことに裁判官の「世間知らず」が問題となっている。それは決してわが国のみの現象ではない。この点に関連して、将来法曹となるべき司法修習生に対して、一般教養の必要が叫ばれているのは、大いに意味があることである。ただ、そこにいわれる一般教養が単なる物知り、またはディレッタントであってはならない。

この点で参考となるのは、アメリカのロー・スクールであろう。アメリカの大学には、わが国の大学の法学部に該当するものはなく、ロー・スクールによって初めて法学教育が行われるのであるが、注目すべきことは、アメリカの著名なロー・スクールに入学するものの多くは、大学卒業生であることである。換言すれば、大学で一般教養科目を修めた者がロー・スクールに入学して、そこで初めて法律の専門教育を受けるのである。すなわち、法律以外の分野についてすでに相当の知識を有する者が、その知識の上に法律の専門教育を受けるのである。そればかりでなく、大学とロー・スクールとの関係において、どのような内容を持った教育がロー・スクールの法曹教育の前提として行われるべきであるかが、いわゆるプリリーガル・エデュケーション（prelegal education）の問題として大いに論ぜられている。これに反して、わが国では大学によって差異があるが、四年の大学課程のうち最初の一年半ないし二年間だけ、一般教養科目を修めるに過ぎないのであって、しかも司法試験の受験勉強のため、この一般教養科目の勉強すら、ゆるがせにされていることが多いとさえいわれる。もっとも大学で一般教養科目を修めたからとて、一般教養が必ずしも身につくとはいえないし、日米は国情を異にするが、法律を専攻する前提において、彼我の差は、はなはだ大きいのである。われわれは一般教養を身につけた者が司法研修所に入って、そこで法律実務を学ぶことを期待するものである。これは、大学の教育方針のほか、司法試験の科目や方法をどのようにするかの点と深い関係がある。

もっとも司法研修所としては、その設立当初、ことに一般教養科目を重視し、このために相当多くの時間を割いたことがあったが、これは当時の司法修習生には戦争帰りの者が多く、兵営や戦場で生活してきたため、不幸にも若人として読むべき本らしい本も読んでいないものが少くなかったためである。そしてその後においても、司法研修所として一般教養を重んじていることは、何ら変りはない(五)。しかし、われわれは大学などですでに一般教養を身につけた者が、司法修習生となることを期待し、司法研修所における二年という短い期間をば主として法律実務そのものの修習に用い、その他のことに時間を割きたくないのである。それは司法研修所のカリキュラムが既にいっぱいになっていて、現在以上に多くの時間を一般教養のため割くことができないからである。この点で、われわれは大学に対して、一般教養科目の充実、そして学生にこれを身につけさせることの工夫を特に期待したいのである。

しかし、いわゆる「一般教養」については、似て非なるものの多いのを、われわれは常々警戒している。たとえば、一部の者は専門的知識や才能の深さが素人にはわかりにくいのを利用し、専門的知識や才能の獲得のための努力を回避して、いわゆるサロンの教養に走り、これによって専門的知識や才能の欠陥を教養の名によって、誤魔化そうとするのである。しかし、医者が芸術文学を論じ話術が巧みであって、一見教養が豊かであっても、医術に通じないで誤診ばかりするならば、医者として軽蔑すべき者であろう。さらにまた、いかにある音楽家が人格崇高であっても、演奏が拙いときは、その人の演奏会を聴きに行く人はないであろう。同様の理由で、法曹として教養・人格を重んずべきことはいうまでもないが、それゆえに法曹としての専門の修業をおろそかにしてよいとの理由はないのである。

五　素人的専門家の研修

司法研修所を出て、判事補、検事または弁護士となったとき、世間一般から見れば専門家であるに違いないが、純粋の専門家から見れば、素人の域を脱していない。すなわち、法曹としての心構えにおいても必ずしも充分でなく、法曹としての力量においても同様である。そこで、この「素人的専門家」をさらに教育することが必要となる。すでに述べたように、司法研修所では判事補、ことに任官後五年未満の者を主たる対象として多くの研修を行っているし、法務総合研究所でもまた若い検事の研修を行っている。もっとも司法研修所の行っている判事補研修は、将来さらに充実せしめる必要があるが、それが若い裁判官に対して、相当の効果を収めているものといえるであろう。

これに反してわが国では、司法研修所を出た若い弁護士に対する研修制度はない。この点で、アメリカでは、ロー・ファーム（六）が発達していて、若い弁護士がそこで先輩の弁護士の指導の下に実務を執り、次第に訓練されてゆく機会があるのは羨ましいことであり、また各地で弁護士会やロー・スクールが中心となって弁護士のためいろいろの研究会を催していることも参考とすべきであろう。この点で、私は司法研修所出身の若い弁護士のため、将来弁護士会などにおいて適当の研修を行うことを希望し期待するものである。最近、日本弁護士連合会で、夏期を利用して、弁護士について研修を開始したことは、今後の発展が期待される。

（注一）　司法研修所のカリキュラムをどのように定めるかは重要な問題であるが、司法研修所の教育はここにいう「普通教育」たる性質を有するから、全科目との比率を無視して一点のみを強調することはできない。たとえば、司法研修所の教育が実務教育であるからといって訴訟法ばかりを重視することはできないし、司法修習生に新憲法の精神を理解させるためだといって、特に憲法ばかりを重視することもできないだろう。しかし、全修習を通じて憲法の精神が説かれ、また訴訟的、実務的の教育がされているといいうる。なおカリキュラムは必ずしも司法修習生の希望に従っていないし、かえって司法修習生の多くが価値をおいていない科目すら、存在している。たとえば、会計の講義のごときに対して、司法修習生は従来とかくこれを蔑視していたが、最近に至って、ようやくその価値を認めて来たらしいのである。

（注二） ここにいう「法曹一体」に似て、これと異なるものとして「法曹一元」の主張がある。法曹一元とは、裁判官ないし検察官は弁護士より選ぶべしとの主張であって、従来主として弁護士側よりいわれて来たものである（本書一二頁注七参照）。私はわが国にロー・ファーム（law firm）が発達しない限り、法曹一元の実現は困難だと考える。この点について、兼子・裁判法二六一頁参照。

（注三） この点につき本書四八頁以下。

（注四） この点につき、「米国法曹協会弁護士倫理規範およびその解説」（司法研修所調査叢書四号）参照。これは Drinker, Legal Ethics によったものである。この問題については、なお Cheatham, Cases and Materials on the Legal Profession (1955).

（注五） 従来司法研修所は、近代的大工場の見学を行っているが、かつてある司法修習生は、騒音に満ち空気のわるい工場の見学が、何のためになるかといって、非難した。しかし司法修習生に対しては、大工場の見学こそ、近代の労働問題その他の理解に役立つであろう。そして日本文化に対する仏教の影響を考え、また欧州文明とキリスト教との関係を考えれば、仏教やキリスト教についての講演も意味があろう。司法研修所は、これらの見学や講義のため割きうる時間はきわめて少いが、しかし、これらのことについての関心を喚起させる機会を与えることを期待しているのである。

（注六） 本書一六三頁以下参照。

五 法曹人口

一 わが国における法曹人口の過少

わが国における法律実務家養成の根本問題は、わが国の社会が果して将来いくばくの法曹を要求するかである。われわれは夙に、裁判官・検察官および弁護士の過去・現在および将来の数について考え、わが国の全人口に対する法曹数の比率その増減並びに法曹の地域的分布などの問題を「法曹人口」という新しい言葉によって表現し、これを主要な諸外国のそれと比較して、識者の関心の喚起に努めたのであったが、(一)幸にもこの新造語はようやく広く用いられ、この問題自体もまた、一般的に論ぜられるに至った。(二)わが国の法曹の数は欧米各国に比較して、余りにも少いのである。(三)

しかるに、従来わが国においては、不思議にも法曹人口の問題はほとんど閑却されていた。かえって、弁護士数の増加は、弁護士の生活を脅かすものとして、一部より反対されたのである。しかし、明治二十年代の裁判所構成法施行当時から、既に七十年を経過して、人口は二倍半以上になり、社会事情は益〻複雑化しているのに、現在の裁判官数が当時に比して、さほど増加していないことは驚くべきことであり、(四)現在の訴訟遅延も、裁判官数と無関係とはいえない。また弁護士は現在東京その他の大都会に偏在しているため、地方的には裁判所支部所在地でさえ、弁護士の定住していないところがあり、また県によって司法研修所出身の弁護士は一人もいないため、弁護士の平均年齢がはなはだ高いところもある。(五)そして弁護士数の不足、ことに地方的の弁護士数の不足は、人権擁護上決して看過できない重大問題である。しかも従来のように、司法試験の合格者数が毎年二百数十名の程度であるならば、法曹人口と国民の人口との現在の比率を維持することすら不可能であり、少くともその比率を維持するためには、毎年三百五十人程度の合格者を要するのである。(六)これは、司法研修所の研究によって、明かになったところであるが、幸にも司法研修所のこの研究は、次第に法曹人口に関する一般の関心を喚起するに至った。この数年来、司法試験の合格者数が急激に増加したことは、裁判官および検察官の増員計画にもよるが、司法研修所の右の研究にもよるところが多いのである。

二　法曹の分布

将来わが国の人口の増加・社会関係の複雑化に伴って、いくばくの法曹を必要とするであろうか。そしてそのためには毎年いくばくの司法試験合格者を必要とするであろうか。これらは、将来に残された問題である。ただ私は将来においては、現在よりも遥に多くの法曹を毎年世の中に送り出すに至らなければならないと考えている。そして将来司法研修所出身者がさらに数を増して、それらの者が裁判官・検察官または弁護士となるばかりでなく、広く行政庁や実業界にも入り、それらの分野で法律的事務に従事するようになることを期待するものである。従来行政庁の立法的事業が、必ずしも純粋の法律家の手によって行われなかったことは、国民として幸だったとはいえないのである。それは、法律家の手に委ねらるべきである。たとえ法学士であるにせよ、純粋の法律家でない者が立法に関係するとき、難解または意味不明瞭の条文を設ける危険が多いばかりでなく、法律家でない者はとかく法律家以上に、法律の力を過信して不当の立法を行いがちだからである。このことは、われわれが多年立法に関係して、しばしば経験したところである。

要するに、将来は、司法研修所出身者が社会の各部門にも各層にも、分布されることを期待する。

そしてその暁には、法曹の社会的基盤は広くかつ深いものとなり、法曹の社会的地位もおのずから重視されることとなろう。アメリカでは、ロー・スクール出身者は広く官界・外交界・実業界でも活躍しているが、ドイツでも大学の法学部の卒業生の多くは国家試験を受けてレフェレンダールとなりアッセッソールになるコースを採るが、それは裁判官・検察官または弁護士となるコースであるとともに、行政庁の幹部となり大企業の幹部となる者の採るコースでもある。民主主義の行われる法治国においては、法律家としての資格を得ることは、裁判官・検察官または弁護士となる者ばかりでなく、社会各方面に活動する者に要求されるのである。西独の首相アデナウアーも、レフェレンダールの道を通ったものである。将来わが国においても、やがては司法試験を通過し司法修習生の生活を終えた者のうちから、裁判官・検察官・弁護士のほか、大学の法学部の教授を生み、また行政庁や大会社の幹部となるべき者を生むべきであろう。わが国の法曹の従来の活動分野は、あまりにも狭小であったのである。

しかし、私は今遠い将来のことをここで述べようと思わない。近い将来の問題として、司法研修所と大学の法学部との関係をどのようにするかは、きわめて大切な問題であろう。一部の者は司法研修所をあくまで、実務の技術的訓練のところに止めようと考えているようであるが、学問ないし理論の伴わない単なる実務というものは、存し得ない。このような主張は、わが国でとかく学問と実務とが全く別個のものと考えられたのに因るのである。われわれとしては、法曹養成のための前提として、大学の法学部を考えるとき、その科目は改めて検討されるべきであり、その教授にも、少くとも若干の実務的経験が望ましいのである。近時、司法研修所で行われる裁判官の各種の研究会に、大学の教授が参加されることが多いが、これによって一面において裁判官が大いに裨益されているとともに、他面において大学教授をも裨益しつつあると考えられるのであって、ここに新しい形態で学問と実務とが結合しつつあるのを見るのである。

（注一）　法曹人口問題に関する研究（司法研修所調査叢書一号昭和三十年）。

わが国の法曹人口一覧　昭和三十五年一月末日現在

裁判官		検察官		弁護士	総計
一、最高裁長官 最高裁判事 高裁長官	二三	一、検事	九七七（三）		
二、判事	一〇八八（二）	二、副検事	六八五		
三、判事補	六六四（一八）				
四、簡裁判事	四七八				
有資格	一三八				
特任	三四〇				
計	二二五三（二〇）		一六六二（三）	六三一九（三二）	一〇、二三四（五五）

〔注〕　括弧内の数字は女子の内数を示す。
検事のうちには検事総長・次長検事・検事長を含む。

（注二）　兼子・裁判法一六〇頁。わが国の訴訟遅延も法曹の数の少いことにも大いに関係がある。最近はジャーナリズムも、これを取り上げている。たとえば朝日新聞の「おそい裁判」と題する記事（昭三四・三・二〇朝刊）は、訴訟遅延の原因に論及し、「法曹人口」の問題をも取り扱っている。その他、沢栄三「外国法制における訴訟促進」（法律時報三〇巻一一号）やジュリスト一三二号の「不思議な数字」は、いずれも、わが国の法曹人口の余りにも少いことを指摘している。

（注三）この点についてアメリカと西独の法曹人口をかかげて参考としたい。

（1）アメリカ（一九五五年現在）

国民人口総数（推算）　一六五、二七一、〇〇〇人

法曹人口総数　二一九、三八〇人

◎法曹人口内訳（もっとも同一人で二つの種別に属するものは、重複して計算されている。）

（a）私的弁護士業務に従事する法曹　一八九、四二三人

（b）企業法人等に俸給で雇われている法曹　一六、六四八人

（c）裁判所に働いている法曹　七、九〇三人

（d）裁判所以外の政府機関の職員として働いている法曹　二一、二七九人

（e）現に活動していない法曹　六、五八一人

（2）西独（西ベルリンを含む）

国民人口総数　五四、七一八、五〇〇人（一九五八年末調査）

法曹数（一九五九年調査）

（イ）裁判官数

（a）憲法裁判所　五八人

（b）通常裁判所　九、二八五人

（c）行政裁判所　七七五人

（d）租税裁判所　一八九人

(e) 労働裁判所　三一四人
(f) 社会裁判所　八九三人
(g) 懲戒裁判所　四七九人
以上合計　一一、五〇二人（但し、そのうち四九一人は、二種の裁判所の双方に勤務するものである）

(ロ) 検　事　二、一一三人
(ハ) 弁護士　一七、一九〇人
その外に Anwaltsassessor　九七六人

(注四) 兼子・裁判法一六〇頁。
(注五) 第一期以後の司法研修所出身者のうち、弁護士となった者の総数は約一、四〇〇人であるが、そのうち東京の弁護士会所属約八五〇人、大阪の弁護士会所属のもの約二〇〇人であって（この点につき、巻末の「司法研修所出身の弁護士分布一覧」参照）、東京と大阪のみに集中している。しかし、東京の近県でも、長野群馬の両県には司法研修所出身の弁護士はいない。
(注六) 西独で一九五八年にわが国の司法試験に該当する試験に合格した者の数は、二、五九〇人である。

（三二・四・一　法律時報二九巻四号）

実務としての法律学

一　実務と学問との関係

一　実務家に学問は必要か

司法修習生諸君!!!　諸君はやがて法律実務家として立つものであり、自己の理想とする裁判官・検察官または弁護士たることを期して、修習しつつあることであろう。

しかし、諸君は、右の三つのうち、いずれの道を採るにしても、法を掌る職務に従事するものとして、法律の研究を必要とし、法律学とは離れることのできない関係に立つのである。したがって、諸君は、実務としての立場から、法律学の意義について、一考しておく必要がある。もっとも諸君のように、司法修習生として法曹を志すものには、法律学研究の必要は当然のことと考えられているであろう。しかし、私は一見きわめて平凡であって明瞭に見えるこの問題を、ここに取り上げて論じたいのである。司法研修所は実務修習の機関であるから、そこでは単に理論的研究ばかりをすべきでないことはいうまでもないが、しかし法律実務が理論と離れることのできないものであるからには、「実務としての法律学」の意味を論ずることは、一面において司法研修所の性格の一端を述べることであり、他面において司法修習生諸君の修習について、指導理念を与えることとなるのである。

およそ純学究が学問を学問のためにすることは、一見なんら特別の問題でないように思われるが、そこには「職業としての学問」の問題が存在する(マックス・ウェーバー)。そして純学究の道を採らない者、すなわち実務家が——官吏であれ、一般サラリーマンであれ——その道についての学問を修めることは、奨励すべきことのように見えながら、新たな問題がそこに提出される。実務と学問とは相反するものではないか、少くとも両者は縁遠いものではないかという問題が、これである。現に、われわれは官界または実業界において、学問を愛し学究的であるがために、「うだつの上らぬ」とされる事例を、しばしば聞くのである。そしてかつてある司法大臣は、「六法全書を溝にたたき込むべし」と主張したので、喝采を博したといわれている。この大臣のいうところの趣旨が、法の運用は枝葉末節に拘泥してはならないことを意味していたとしても、その言説は法律学に対する反感を示したものとも解せられる。これに反して、三宅正太郎氏の「裁判の書」をひもどくならば、そこに「学なければ卑し」と説かれていることを見出すのである。

二　若人の法律学への反感

法律学は、本来年の若いときには興味を持つことのできないものである。そして司法修習生諸君のうちには、本来法律にも法律学にも興味がないのにかかわらず、何かの理由で、職業として裁判官・検察官または弁護士を志したため、やむなく司法試験を受けて、これを通過して来た人も少くないであろう。さらに諸君のうちには、刻苦勉励し、涙ぐましい奮闘的生活のうちに、司法試験を突破して来たものもあるであろう。そのような人は、今までの努力に対する報を得ることを期待し、今後なお法律学の研究が必要であるとしたならば、その重苦しさに対して反感をさえ持つであろう。諸君のうちのある者は、法律の概念ないし解釈ということに無頓着であって、法曹という者は、法律を知らなくともやってゆけると確信し、どんな場合に臨んでも公正なる裁量をもって処理すればよいというふうに、簡単に考えているかも知れない。しかし、いずれにしても、司法修習生はその名にふさわしく、司法に関することを修習しなければならないのである。およそ、どの分野でも、専門家となるためには、第三者の知り得ないところの苦心と修業を必要とするが、司法修習生諸君もまた、法律実務家という専門家となるためには、同様の苦心と修業が必要である。そして好むと好まざるとにかかわらず、実務としての法律学の価値について、少くとも一応考えなければならないのである。

法律実務家は、法律的素養を有すべきことは当然であり、事件を取り扱うに当っても、問題となる対象についての関係条文はもちろん、判例や学説も一応これを調査して知っているべきであろう。しかし、これとともに単に個々的に判例や学説を調査し、これを記憶するに止まらないで、当該の問題を理論的に考察することを学ばなければならない。そこには、「法律学的考察」が要求されるのである。判例や学説も多く知らなければならないが、単にこれを記憶することは、それ自体さほどの価値があるといえないのである。

三　法学教育と法曹教育との分離

わが国の法学部における法学教育は、近年は判例を重視するようになり、法律実務に役立つことも考慮に入れているし、また従来の解釈法学万能の考えを改めて法社会学的考察にも力を注いでいるが、しかしその教育は、法律実務とは直接関連がないものである。そして日本における法学部の卒業生のうち、裁判官・検察官または弁護士となるものが、その一部分に過ぎない現状を考えるとき、法学部の教育は、いわば行政官庁・銀行・会社などにやがて職を奉ずる者に対しても、一応の法律的素養と関心とを与えることを目的とするものといえるのであって、純粋に法律実務に従事するに至るべき者に適した教育ではない。たとえ法学部における法学教育において、優秀な学者によって深遠な理論が説かれたとしても、その理論自体は直接に法律実務に関しない点で抽象的・思弁的のものであり、したがって、そこでは「法律の技術性」は説かれても、法律の技術性そのものの修得はされ得ない。法学部のコースは法律実務家となるべき者も通過すべきものであるが、しかし、このコースは法律実務家のためのみのものではない。そこで、純粋に法律実務家を養成するための教育およびその特別の機関が要望される。いうまでもなく、司法研修所は、そのためのものなのである。(一)

（注一）　本書三頁以下参照。

四　実務家による学問の軽視

司法研修所における修習は、法律実務家たるための修習である。換言すれば、司法研修所の修習は、将来法律実務家としての専門的活動を行うための修習である。

そうであるとしたならば、法律実務家の専門的活動とは、どのようなものであろうか。裁判官に例を採るならば、その任務は訴訟事件の処理であって、山なす記録を精読しては、法廷に出て事件を審理して、事実の真相の把握に努め、終局的には裁判をしなければならない。そして法廷こそ、真剣勝負の場なのである。そこの審理において、裁判官は証人の証言その他の証拠のうちから真実を発見し、虚偽を看破することが要求されるのであって、裁判官にもっとも必要なのは真実に合する事実の認定である。私の経験によれば、裁判官が主力を注ぐのは事実認定の点であって、法律点ではない。たとえ、裁判官に秀れた法律的才能があっても、事実の認定に誤謬があるならば、裁判は裁判としての価値を失うのである。もとより神ならぬ身として、裁判官は誤判のないことを保し得ないが、人間的能力を尽して誤判の少い裁判官こそ優れた裁判官といいうるのである。そしてまた裁判官は喧騒をきわめる事件に際会したときでも、よく法廷の権威を維持し、毅然たるべきことが要求される。もとより裁判官は訴訟手続を合法的に行い、且つ法律的にも誤りのない判決文を作成することを必要とするのであって、このような点で法律的素養ないし知識が要求されるのはもちろんであるが、しかしそれは裁判官に必要なものの一部分に過ぎないともいえるであろう。一番必要なのは洞察力であり、判断力であり、決断力である。そしてこのことは、裁判官ばかりでなく、検察官・弁護士についても同様にいわれるのであって、この理由からして、法律実務は年の若い秀才よりも、年功を経た老練のものによって行われることが必要となるのである。

この点について、私が諸君の注意を喚起したく思うことは、往々にして年の若い裁判官が事件を取り扱うに当って、法律的に過誤のないことに心を奪われるため、知らず知らずの間に事実認定に対して関心が少くなる例をさえ見ることである。時には、法律学に対して興味がある余り、事実認定に対して不熱心であり、自己の愛好する法律理論の方へ事実を曲げて解釈しようとする徒輩すら、絶無ではない。ここに至ると、法律学的知識は、はなはだしく有害とさえなるのである。もっとも法律実務家はその従事する職域によって、法律学的素養の必要の程度は差があるが、今述べたことは法律実務家一般についていえるのである。そしてこのようなことが、ややもすれば、法律実務家に学的研究を軽視せしめるに至るのであって、一部の法律実務家は法を掌る職務に従事しながら、法律学を見下すことによって、自己の実務家としての価値を高く評価しているのである。

五　法律学の必要

法律実務家によって、ややもすると、法律学が軽視されがちなことは、右に述べた通りである。しかし、あえて法律学の研究といわなくとも、一応の法学的素養のないために、法律実務家がいかに自己に不利を招き、また世間の笑を招きつつあるかということも、われわれの日々目撃するところであろう。先に私は法律実務家としてもっとも大切なことは、「事実の認定」であるといった。しかし、ここにいう「事実」とは、法律的意味における事実であって、素人の考えている意味の事実ではない。

このことは、司法修習生諸君に対しては、特別に説明を要しない。さらに、弁護士として訴訟の委任を受けたとき、たとえば債務不履行を請求原因として訴を提起すべきであったのにかかわらず、不法行為を請求原因として訴を提起して勝つべき訴訟に敗訴し、あるいは仮処分申請に当り目的物の占有を執行吏の保管に移すべきことを求むべきであったのにかかわらず、単に相手方に対して妨害をしてはならない旨の不作為の仮処分を求め、そのため結局仮処分の目的を事実上、達し得ないことや、あるいは検事が会社の計算に関する法規について充分の知識がないため、刑事事件の取調に当って呑舟の魚を逸してしまうのも、その一例である。そして訴訟遅延の原因の一は、法曹の法学的素養の不足によるといえよう。また裁判官が法廷において毅然として事件を処理できるのも、単に「腹」の問題だけではないだろう。訴訟指揮などについて、一応明確な法律的知識を有していることが、毅然となりうることの一大要素であろう。

要するに、われわれは法律実務において、法学的素養がないために事実認定を誤ったり、訴訟を遅延せしめたり、また勝つべき訴訟に敗れる例をあまりにも多く知っているのである。ことに民事訴訟において、弁論主義が次第に徹底するにしたがって、裁判官が職権を用いて釈明を行うことが減少するから、法学的素養のない訴訟代理人は勝つべき訴訟を失うことがますます多くなるであろう。要するに、法律実務家の事件処理は、法学的訓練と関係なくして考えられないのである。

二　学者の理論と法曹との関係

一　実務家の劣等感

われわれは、本来理論的なのだろうか。「理論と実際とは違う」といわれていることは、わが国民の大多数の気持を表わしているのであろう。もし、この諺のごとく理論と実際とが違うものであるとしたならば、法曹は実務家であるから、必ずしも法律的理論の研究を必要としないし、まして法律学のようなものは、全く不必要なものとなろう。わが国の従来の法律実務家中には、不幸にも、このような考えの持主が決して少くない。彼らは、学理や理論は大学の教授連の研究すべきものであって、実務家は教授連の研究した学理や理論を適用すればよいものと確信している。そして彼らは、このことは、分業による当然の結果だと考えているようである。しかし、はたしてこのようなことが、「分業」の名の下に許されるのであろうか。

もし学者と法律実務家との間に、学的研究はすべてこれを学者に委ねるべきであるとの分業が存在するならば、法律実務家が理論的研究をしないのはむしろ当然であって、かえってこれをする者は、不当にも学者の縄張を侵すこととなろう。しかし、このような態度は、法律実務家の学問に対する権利の拋棄であって、自己の仕事に対する卑下を意味するに過ぎないのである。私は、往々にして自負心の強い法律実務家のうちにすら、問題が一度理論に関するときはきわめて卑屈となり、学者と名のつく人の言説ならば無条件にすべてこれを信用し、これに反対することは冒瀆のように考えている者を見る。このような実務家は、理論については、全く学者に匹敵できないという劣等感を懐くものにほかならない。そして案外、このような実務家が多いことは驚くべきことである。私は、司法修習生諸君がこのような劣等感を懐かないことを期待して止まない。

二　似て非なる理論家

これに反して、若い日本人のうちには理論を愛し理論家であると自負するものが少くない。しかし、単に理論家のごとく見えるに過ぎないものも、決して少くないのである。すなわち、これらの者は、理論的らしく見える表現に最大の魅力を感じるだけであって、主張されている理論そのものの内容を検討しないで、ただこれに盲従しているのである。彼らは、法律実務家として実務のうちに理論を求め、理論を考えてゆこうとしない。単に特定の教授、しかも偶然自己が教えを受けた者の特定の見解を理論の名の下に暗記しているに過ぎないのである。私は、司法修習生のうちに、遺憾ながら、このような者がいることを認めざるを得ない。さらに、極端な者は、司法試験の受験のために用いた簡単な教科書を丸暗記することによって、一切を理解できたと信じていて、その教科書のとる学説を金科玉条とし、その教科書が一言数句で批評し去った他の見解はいずれも、採るに足らぬものとして排斥してしまい、そして具体的のケースに遭遇した場合にも、ケースの具体性も何も考えずに、その教科書の著者の学説で、一切を割り切ろうとする。そして頭の動きが早いと自負している。私の経験によれば、この種の「理論的」な司法修習生の蒙を啓くことは、きわめて困難なのである。これらの者は、たとえ学校卒業当初または司法修習生の過程終了直後には、一時は最新の知識を有していたとしても、いくばくもなくして、その見解は旧くなるであろう。私は、司法修習生諸君が、このような道を歩まないことを、期待して止まない。単なる学説の暗記とその適用が、理論の研究および適用でないことは、もちろんである。われわれは、かえって司法修習生諸君に対して、真の理論的思考力を修練することを期待して止まない。諸君は自由を欲する以上、自己の教を受けた教授の学説や司法試験受験のため読んだ本の見解より、解放されて自由にならねばならぬ。そして今述べた弊害を見るとき、私は大学の法学教育と司法試験制度の現状に対して、若干疑なきを得ないのである。

三　勘

叙上の点に関連して、「勘」の問題を一言したい。およそ勘のよい人は物事を理詰に考えてゆかないで、直ちに結論を出しがちである。このような人は、とかく理論的思考を面倒がり、「勘」のよいことが頭のよいことだと思いがちである。

私は勘を重んずる。しかし、法律実務において尊重されるべき勘は、素人としての勘でなく、多年その道に苦労しておのずから得られた勘である。いわば多年の経験によって獲得されたものである。事件の取調べにあたって、何か背後に伏在することを予感し、その点をさらに調べて行って、事件解決のキー・ポイントを見出すというのは、この勘の力である。しかし、司法修習生諸君は法律実務の分野において、全くの未経験者である。したがって、諸君は法律実務家としての「勘」などは、全く持たないのである。諸君はこの意味において、勘に頼ってはならない。そしてまた諸君が将来法律実務について練達の士となり、その道の勘を有するに至っても、私はなお勘のみに決してたよらないことを切望して止まない。いわゆる「勘」にたよりすぎることの失敗は、見込捜査などにその例を見るのである。私は諸君があくまで理論的にものを思考し、事件を取り扱うことを望むものである。

三　実務としての法律学

一　Nur-Praktiker たるべからざること

学者と実務家との間に、その職業について、どのような差異があるのであろうか。ここで、この問題を考えてみたい。私は、この点でゾンバルトの「資本主義の将来」と題する小冊子を思出すのであるが、ゾンバルトはそこで、実務にたずさわる人と学者とを意味深く対比している。すなわち、彼によれば、実務にたずさわる人は学者に比して個々的事実を知ることが多いが、全体的関連からものを考察する点において欠けることを指摘し、学者の任務は日々の偶然的事象のうちに迷うことなく、これを超越して時代の脈膊を感ずることにあると主張している。さらに、彼は実務にたずさわる人が数週、数日または数時間だけ思考するに対し、学者は数年、数十年、数百年の長きに亘って思考することを任務とするといっている。学者をもって任ずる者の抱負は、このようにあるべきであろう。しかし、実務家もまた学徒たるべきものであり、ことに法律の分野においては大学の教授も実務家も、等しく法律理論を探究すべきものであって、その職業が学問的なる点において、両者間にはなんら本質的差異がないのである。法律実務に従事する者がいわゆる単なる実務家——ドイツ人の巧みなる造語によれば Nur-Praktiker——でない限り、学徒であり理論家たるべきである。

二　法律実務家の学問の特異性

しかし、純学究と法律実務家との間には、左の如き差異が存するものと考える。

(1)　法律実務家の間口は広い。裁判官・検察官または弁護士は法律一般に通じていることを予定されているものであり、実際上、少くとも広義の民事法一般または広義の刑事法一般に通暁していることを必要とする。この点で、大学教授が憲法・行政法・民法・商法・刑法・民事訴訟法・刑事訴訟法の講座を担当して、その法域を専門とするのに比較して、間口ははるかに広い。間口の広いことは、視野の広いことである。長い間、立法に関係した私の経験によれば、たとえば商法の改正事業においても、われわれ実務家は商法そのもののほか、民法や民事訴訟法に対しても、一応の知識を持っている長所があった。ことに立法が単なる学説の条文化でなくて、実際に運用されうるものをつくるべき以上、そのためには訴訟法的の知識を大いに必要とするものである。ただ問題は、法律実務家の法律的知識の奥行である。そして人力に限りある以上、間口の広いことは、ややもすれば遺憾ながら奥行を浅からしめる。そればかりでなく、常に新しい分野の発生とともに、法律実務家は益〻その間口を拡大することを余儀なくされ、しかも学問の発達の結果、専門は益〻分化するのである。そのために、法律実務家は事実上益〻間口を拡げるとともに、その奥行は益〻浅くならざるを得ない。ここに実務家の弱点があり、実務家は法律の解釈・運用について、学者の理論や学説に頼らなければならないことが、多くなるのである。

(2) われわれ法律実務家は、専門の学者の理論に耳を傾けなければならない。およそ、すべての学問について、何ら専門を持たないものは、他人の専門に対してこれを尊重することが少いが、どの分野にせよ、多かれ少かれ専門的研究に従事したものは、専門家の研究の成果を高く評価するものである。もっとも専門家が、専門的研究の名の下に、「重箱の隅をほじくる」ようなことをするときは、微に入り細を穿ちながらも、大局的観察を欠くため、学的価値を失うばかりでなく、その見解を実地に応用することは危険を伴うが、そうでない限り、専門家の研究は傾聴に値するのである。このことは、われわれが他人の専門領域のことについて、斬新な構想または深遠な思想に達したと自負することがあっても、しばらくこれを研究すると、それが無価値な思いつきに過ぎなかったことを悟ることが多いのによっても、明かであろう。したがって、われわれは、まず専門家の見解を聴かなければならない。しかし、このことは専門家の学説に盲従することを意味しない。学説は、あくまで参考であるに過ぎないからである。もっとも法律実務家は各分野の専門的知識が充分でないため、専門家の学説に対し批判的態度を持つことが困難な場合もないわけではないが、法律実務家もまた学問に関係するものとして、この批判的態度が要求される。そして、このような批判的態度は、実務家が多年の実務的修練によって獲得できるところであるが、ことに後に述べるように、法律実務家が少くとも一つの専門を持つときは、比較的容易に他の専門領域に対する感覚をも持つことができるのである。

(3) われわれ法律実務家が専門家の理論に耳を傾くべきことは、右の通りであるが、われわれの耳を傾くべきは理論そのものであって、必ずしも個々の条文につき学者の採る見解ではない。学者の個的条文についての断片的の解釈などは、その学者の理論自体に連ならない限り、われわれはこれに対して、必ずしも大きい価値を置くことはできないのである。

この点について、われわれは学者の所説のうち、理論的のものと解釈論的のものとがあることを区別して考える必要がある。一体、大学教授の仕事は多岐にわたるものであり、教授は一面において学生に専門的知識を授ける点で教官であり、他面において学的活動をなす点で学者である。今私が問題としているのは、この学的活動の点であるが、学者の学者としての本来の活動は理論の探究・体系の樹立にあるべきであろう。これに比較すれば、判例の批評や立法への参与などは、二次的のものといってよいであろう。そしてわれわれ法律実務家が学者に期待するのも、理論の探究・制度の本質の闡明であって、必ずしも個々的条文の解釈ではない。学者による個々的の法律問題の解釈などは、それがその学者の理論的体系そのものに直結する限りにおいて、われわれはこれに多くの価値を置くのである。この点に関して、大学教授連による判例批評について一言するならば、大正十年ごろから隆盛になった判例批評は、従来の法律理論と実生活との間の乖離を指摘し、法的実在へ着眼せしめた点において、法律学に貢献しまた裁判に裨益したことは少くない。おそらく「判例民事法」をひもどかない法律家はないであろう。しかし、司法修習生諸君は判例に対すると同様、判例批評に対しても、批判的でなければならない。批評する者が常に正しく、批評される者が常に正しくないとは、いえないからである。思うに、わが国における判例批評は、判例の重要性を認識せしめたが、しかし判例に比し判例批評の方が不当に優位を占めたことも争えない。毎年多くの司法修習生が、学説は常に正しいが、判例は間違っているものと考えて、司法研修所に入ってくるのである。私はこのことを看過できない。(二)「裁判官は弁解せず」というが、判例は常に批判を受けるだけである。われわれは判例批評に対して、判例の価値を再認識しなければならない。そして法律実務家は、さらに判例批評を批判し、すなわちreview of review の立場に立つことを必要とするのである。われわれは、すべての批判をさらに再批判するだけの「自由」を持たねばならぬ。Our reading is mendicant and sycophantic. といって戒めたエマーソンの句を私は常に忘れることができないのである。

(4) 私は右の点に関連して、学者の「判例批評」に対して「学説批評」をすることの必要を思うものである。やや専門的の問題となるが、私はその例を一、二述べてみたい。

(イ) 株主総会の決議が法令または定款に違反した場合について、有力な学説によれば、決議の内容が法律違反であることが一見きわめて明瞭な場合には、訴によってその無効を主張する必要がないといい、その一例として蛸配当の決議は、資本団体である株式会社の本質に反し、法律違反であることが一見きわめて明瞭だから、その無効の主張は訴による必要はないというのである。しかし、これは事実関係に関心の少い者の法律論といえるであろう。事実認定の結果、総会の決議が、蛸配当ときまってしまえば、それが法律違反であることは明瞭であるが、しかし具体的場合の決議が蛸配当であるかは、認定上きわめて困難なのである。たとえば、二割の配当決議があった場合、ある者はその全部を蛸配当と主張するであろうし、そのうちの五分だけを蛸配当とし、また一割だけを蛸配当とする見解も生じ、無限のニュアンスを生じうる。したがって、蛸配当のような場合にこそ、訴を提起し判決をもって決議の効力を画一的に決める必要があるのである。(二) われわれ実務家から見るとき、優れた学者の所説のうちにさえ、右に類するものを、往々見るのである。

(ロ) 会社が正当の事由がないのにかかわらず、株式の名義書換の請求を拒絶したとき、会社は名義書換が未だ行われていないことを理由として、名義書換請求者が株主であることを否認できないのである。これは判例の採る態度であり、(三) 商法および民事訴訟法上かく解さざるを得ないのである。しかるに、有力な商法学者はこれに反対して、次の如く主張している。すなわち、株式の名義書換は多数の株主の関係を画一的に処理する制度であり且つ名義書換請求の拒絶が正当であるか否かは客観的に決し難いから、如何なる場合でも、名義書換が行われない限り、株式取得者は会社に対して株主であることを主張し得ないというのである。しかし、このような見解を採るときは、株式取得者の有する名義書換請求権は、もはや権利といえないものになってしまうのである。何となれば、この者が会社に対して名義書換請求の訴を提起して、勝訴しその判決が確定したとしても、直接に会社に対して名義書換を強制する方法はないし（民訴七三四条参照）、また彼は会社に対して名義書換を直接に請求し得ない以上、仮処分によって株主たる仮の地位を定めること（民訴七六〇条）もできないからである。（四）かくて右のような商法学者の見解を採るときは、株式譲渡自由という株式会社法の最大の要請すらも、全く否定されることとなる。要するに、右の商法上の問題は民事訴訟法との関係なくして、解決し得ない。私は学者の判例批評のうちに、往々にして訴訟法に対する無理解を見、訴訟法を無視するものを見るのである。（五）

（注一）　大審院判事であった前田直之助氏が、大学学生時代に、教授によって判例がどのように取り扱われたかについて、次のように述懐している。「われわれが学校にいた頃、先生は裁判なぞは、てんで問題にされなかったが、偶こ問題にされると、それは判例をこき下し、あざ笑い、噛んで吐き出して痰つぼにはきすてるのであった」（強制執行法・競売法 判例総覧の序（昭和八年））と。たとえ、そのいうところが若干誇張があるにしても、大学教授によって判例が問題にされなかったことを示している。

（注二）　松田・株式会社法研究二二三頁。

（注三）　大審院昭三・七・六判決（民集七巻五四六頁）。

（注四）　松田・新会社法概論一六〇頁。

（注五）　民事訴訟法上、当事者間に争のない事実について、裁判所は拘束されるのである（民訴二五七）。これは裁判所は当事者間に争のない事実に立入るべきでないとの弁論主義によるのであるが、私としてこの初歩的の民訴の原則を無視した判例批評をすら見たことがある。裁判官は釈明権行使によって事実関係を明かにすべきであるが、事実認定については訴訟法上この制約があるのであって、判例批評も裁判官がこの制約に服することを知って、行わるべきである。

四　実務としての法律学についての諸問題

一　実務家の解釈法学

(1)　従来、ややもすると、解釈法学すなわち法律学というふうに考えられたのに対して、現在では大学教育においても法哲学や、法社会学などを重視している。法律実務家も、またこのような点に関心を持つべきであろう。しかし、法律実務家は その仕事の性質上、法律学のうち 解釈法学を主とするのは、当然であろう。直接に法律解釈に当ることのない一部の学者中には、従来の法律学をもって解釈法学に過ぎないものとし、これは官僚のための法律学・裁判官が裁判するための法律学であるといって攻撃し、解釈法学の価値を低く評価するものもあるが、われわれはかかる言説に迷わさるべきではない。解釈法学すなわち法律学であるとの考えは、改めらるべきであるが、そのため解釈法学を軽視すべき理由はない。否、法律実務家は解釈法学に精進しなければならない。

右の点に関して、ことに留意すべきことは、一部学者による概念法学に対する攻撃である。いわゆる概念法学が、単に形式的概念に捉われて社会的実体から遊離してしまって、不当な理論構成に陥ったとき、その概念の不当が攻撃されたのであった。われわれは、その攻撃にすなおに耳を傾けて、概念法学の弊に陥ることのないように戒しめるべきであり、ことに概念そのものが本来決して絶対的のものでなくて、相対的のものであることを知らなければならない。しかし、非難され攻撃されるべきものは、不当な概念構成であって、概念そのものではないのである。概念のないところに、科学の成立する余地はない。ことに法律学において、概念の明瞭なことが要求される。概念法学に対する攻撃におびえて、法律実務家が概念構成を軽視することがあってはならない。もしわれわれが個々的事件の処理にあたって、具体的妥当性の名の下に、法の規定する概念を無視するならば、結局法のない状態と大差なくなってしまうであろう。この点に関連して、いわゆる「一般条項」の功罪も考えてみる必要がある。そして法律適用に当り、いわゆる概念法学の弊に陥ることがなく、しかも概念そのものを重んじることができるためには、法律学の力に俟たねばならないのである。われわれは、この点でも、司法修習生諸君が法律学に対して認識を深めることを期待したい。

叙上に関連して、法律家ことに裁判官に対する世間知らずの非難について一考すべきであろう。われわれも、通常のいみにおいて世間知らずであってはならない。しかし、法律実務家は決して行政官のような広範囲の自由裁量の権限はなく、法の解釈は決して融通無碍のものでない。法の解釈には、越し得ない一定の限度がある。われわれは法を遵守しなければならない。世間知らずとの攻撃におびえて、法を曲げてはならない。法の権威を維持するためには、時に涙をふるって馬謖を斬らなければならないのである。

しかし、他面において、われわれが法律を充分運用する才能がなく、法の技術性を理解できないために、主観的には法を適用するつもりでありながら、「ぎこちなく」なることの多いことを忘れるべきでない。私はこの点の一例として、家屋の賃借人が過失によってこれを焼失せしめたところ、賃貸人である家屋所有者の訴訟代理人が賃借人に対し不法行為、しかも重過失を理由に損害賠償請求の訴を提起し、重過失の点の立証が困難なので、大いに苦労していた案件を思い出すのであるが、これは原告代理人が失火の責任に関する法律を誤解し、重過失がある場合でなければ損害賠償を求めることができないと誤信していたのである。一般的にいえば、「ぎこちない」感じをもつのは、事実認定が正しくないか、または事実に対する法律理論の構成に無理がある場合であることを、われわれの多年の経験は教えるのである。

(2) 法律実務家は法律解釈を主とする結果、ややもすると解釈法学すなわち法律学であるという錯覚に陥ってしまって、学者の著書・論文が直接具体的の法律問題について詳細な解釈論を試みていないときは、その著書・論文の価値を低く評価し、学者の研究も採るに足らずと自負するようになるのである。このようなものは、学者の学的研究の意味を全く理解しない輩であるが、これは前述したところの学者の所説であるならば、何でもこれを偏重する実務家の他面の弊であろう。そして、法律実務家は、大学教授に対して必ずしも「コンメンタール」的知識を期待すべきでない。わが国のように、明治以後新たに法律学が輸入され、しかも法律学のような実用的の学問にあっては、大学教授は理論そのものの探究のほか、解釈法学の僕としても利用されて来たのであるが、コンメンタール的著述は必ずしも教授のなすべき仕事ではなくて、かえって実務家のなすべき仕事であろう。このことは、ドイツの秀れたコンメンタールのうち、法律実務家の手によるものが多いのによって知り得よう。ドイツの株式会社法を例にとるならば、優れたコンメンタールであってわが国でも広く利用されているものの多くは、実務家のあらわしたものである。要するに、大学教授の本務は理論的労作であり、したがって法律実務家も純学究に対して、あまりにコンメンタール的仕事を求むべきではない。

二　実務家による専門的研究

(1)　右のように、法律実務家は間口広く、その知識は各法域にわたっている。しかし、これがため、ややもすると、その各法域における法律知識は浅くなり、その解釈論も全体との関連を見失って、制度の本質を充分に理解しないで行われるため、カズイスティッシュとなりがちである。法律実務家の法律論の危険性は、実にこの点に存在する。個々的に切り離された判例や学説を見て、その背後に存する理論を看過しがちのところに、危険性が存する。しかし、法律実務家も単なる実務家(Nur-Praktiker)であってはならない以上、法律解釈に当って理論家であることが要求される。そうだとしたならば、実務家はこの難点をどのようにして克服すべきであろうか。私は、この点の解決は、法律実務家がいずれか一つの分野について、深化した研究を行うことによって、遂げられるものと考える。法律実務家もまた法律家として、小さいながら、一つの専門を持たなければならない。そして本来知識階級に属する者は、理論を愛好するものであり、研究もまた好まないところではない。大切なことは、心の中にある理論愛好の熱・研究の意欲を消えさせないことである。

今ある法律実務家が、研究の一つのテーマとして、公益法人たる社団法人について、その研究を深化したと仮定する。このような一部門を研究の対象とすることに対して、民法全般を専攻する学者は、あるいはこの実務家のとった専門の間口が、きわめて狭いと思うかも知れない。しかし、これは誤った観察である。民法上の一制度を特殊研究する実務家は、他面において実務家として、きわめて広い間口を有するものであるからである。そして民法の一制度に対する深みある研究は、彼の法律学一般に対する思考に深みを加えるであろう。けだし、一制度を深く掘り下げて研究しようとするとき、おのずから他の制度・他の法域とも関連を生じることとなるからである。そして民法上の公益法人としての社団法人について研究の歩を進めるとき、おのずから株式会社のような営利的団体も関心の範囲に入って来るであろうし、国家その他の公共団体もまた関心事となるであろう。そしてやがては、広く公私法上の団体法について、研究はおのずから深化されるであろう。私は、従来わが国において公法学者と私法学者、私法学者中においても民法学者と商法学者とが対立し、ややもするとその研究が自己の専門領域に限局されるため、団体法一般に通ずる理論が発達しなかったことを遺憾に思うのである。わが国では、とかく学問は学者だけがするものと考えられたばかりでなく、学者も自己の専門分野以外には、口を出さない。この点について、団体法についても、ドイツでは夙にオットー・フォン・ギールケが「団体法理及び独逸判例」その他の著書において、公私法上のあらゆる団体について論及し、一面において国家を論じ他面において株式会社を論じ、その間に統一的の団体法理を構成している。そして、ゲー・イェリネックのような公法学者もまた、国家における国民の地位を考察しつつ、株式会社における株主の地位にまで論及するのである。もっとも右の二人は純学究であるが、わが国においては大学の法学部の教授の専門領域は、アメリカの教授に比してはもちろん、ドイツの教授に比しても狭小であり（一）、そのためその専門に立籠ってその隣接法域に対してすら、無関心である弊がないとはいえない。このような事情を考えると、法律実務家は広い間口を有するから、一度研究のテーマを取り上げるとき、各法域に通ずる基本的問題と関連せしめながら、これを研究する長所があるであろう。私が株式会社を国家その他の諸団体と比較し、株主の共益権と参政権との間にすら等質的のものを見出そうとしたのも、その理論の是非は別として、実務的感覚のしからしめるところであろう（二）。私はこの点において、法律実務家は、ややもすれば個々的ケースに心を奪われる危険にさらされているが、戒心することによって、かえって統一的理論の探求者として適することを信ずるのである。私は、司法修習生諸君が少くとも一つの問題を取り上げて、深化した研究を行うことを、切望するものである。

(2)　われわれが、一つのテーマを取り上げて研究しようとするとき、可及的に多くの文献をひもどくことが要求される。これは、法律実務家をして、法の解釈に当って丹念に文献をしらべる習慣を養わしめるのに役立つのであって、単に自己の頭脳のみに頼ろうとする独断を是正するために必要であろう。しかし、あるテーマについての研究を進めるとき、いずれの分野でも、案外に邦語の文献の数は少いのであって、数月または数年で全部これを渉猟しつくすであろう。ここでいきおい、外国の文献にも親しむ必要を生じる。そしてまず、その手段として語学力を養う必要を生じるのである。もっとも法律実務のかたわら、語学の勉強は決して生やさしいものでないだろう。しかし、「蘭学事始」における解体新書翻訳の経過に一度思いをいたすならば、惰夫と雖も立たざるを得ないであろう。われわれは、法曹の道に志す以上、語学の困難をも克服するの勇気を有しなければならないのである。

われわれが、少くとも一つのテーマを取り上げて研究にかかるとき、その道が必ずしも容易でないことを知るとともに、その研究の発展につれて、わが国の法律学がまだ年が若くて、未開地が至るところにあることを感ずるであろう。この点で、研究の道にいそしむ者は、開拓者的の喜びを味うことができるのである。そしてその研究は、おそらくやがて、法律学そのものに対する眼を開かしめるであろう。そしてこの開眼こそ、法律解釈に当って、もっとも大切なものなのである。

(3)　私は、法律実務家が少くとも一つの問題を採り上げて、深くこれを研究すべきことの必要性を痛感しているので、司法修習生諸君に対しても、従来これを希望して来た。しかし、私は法律実務家が、必ずしも最初から世に問う目的で、特定の問題を採り上げて研究すべきことを主張するものではない。篋底に深く研究の成果を蔵しておくことも、よいことである。そしてまた研究の対象となる問題にしても、われわれは日常の法律実務のうちに多くのテーマを発見できるのであって、司法修習生諸君もすでに修習のうちに、いくつかのテーマを見出されたに違いない。そして司法修習生としての現在の生活において、その研究のための時間が不足するならば、将来気長くそれを研究してゆくのも、むしろ楽しみであろう。私は、自己の司法修習生――当時は司法官試補といった――の時代、仲間の者と「へボ碁」を打ったのであるが、その後激務の間でもこれをやめなかった者は、碁についての才能を有したにせよ、すでに初段・二段の資格を得て、われわれ「呉下の旧阿蒙」を睥睨している。法律学の研究もまた、同様であろう。問題は、われわれが法律学に対して、これにふさわしいだけの熱と興味とを有すること、そしてこれを持ち続けて努力することである。われわれは、急に熱する必要はない。必要なのは、一定の程度の関心と努力とを、長い期間にわたって持続することである。そして司法修習生諸君がまだ研究のテーマをもっていないとしたならば、諸君がやがて裁判官・検察官または弁護士となってから、その遭遇した事件を掘り下げて研究することも、意味のあることである。

右の点に関連して一言したいのは、わが国で特別法の研究が進歩していないことである。先に述べたように、わが国では研究は大学教授がすべきものであって、実務家はただその研究の成果を利用すればよいという、はなはだ不当な分業論が多くの実務家によって唱えられていた。そのため特別法のうちには、文献などもきわめて少い分野があるのにかかわらず、実務家は不心得にも、これは学者の特別法に対する不勉強の結果だとして学者を非難し、みずから進んでこの分野を開拓しようとしなかったようである。しかし、特別法こそ、実務家の開拓すべきところである。そして民事法の分野についていえば、非訟事件手続法はもっとも適用されている法律であるのにかかわらず、二、三の旧著を除いて、文献も少く、未開拓のまま残されている。そして実務家が手続法のうちでも民事訴訟法については、きわめて微に入り細を穿つた学理を知り、もしこれを知らなければ一人前の法律家でないように思われがちであるが、一度手続法のうちでも非訟事件については、何も分らないことはむしろ当然のことと考えられているようである。私はこのようなことが、不思議に思えてならないのである。近時、実務家の中から、非訟事件手続法について注目すべき研究が発表されつつあることはよろこびに堪えないところである。[三] ドイツでは非訟事件手続法については、多くの優れた著書があるが、私は一つのコンメンタールに対して感慨深いものを覚える。それはカイデル (Keidel) という一人の控訴院判事によって書かれたものであるが、その死後その子のカイデルによって補訂されたものであって、子のカイデルもまた控訴院判事なのである。非訟事件手続法という一特別法について、父子二代相続いてコンメンタールを補ったところに、たとえそれが、ハンド・コンメンタールであるにせよ、ドイツ実務家の特別法に対する関心を感じるのである。

私は右に述べた如く、諸君がやがて特定のテーマについて深い研究をすることを期待し、さらにそれが発展して専門の分野を持つに至ることを期待するものである。もともと法律実務家は、いわば「八宗兼学」であるが、その基礎の上に築かれた専門こそ、机上の空論と異なってきわめて力あるものとなるのである。そして諸君はかかる専門的知識をもって、学界に発言し、また立法に発言すべきである。

(4) 法律実務家は具体的事実に接し、生きた案件に接するものである。そして科学の発明が実験に負うことが多いように、法律実務の必要は、個々的事件の処理・個々的法律問題の解釈を超えて、法律上の新たな基本原理をも思考させるに至るのである。私は、この点において、諸外国の法律実務家が法律理論または法律制度に関して、多くの貴重な研究を発表していることが理解できるのである。たとえば、ドイツにおいて、法律実務家の手に成る法律学的文献を除くとしたら、きわめて寂寥を感じるであろう。わが国では、諸外国に比較して、従来あまりに実務家は学問と関係が薄くなり過ぎている。これは、わが国の変態的現象であろう。この点もまた、将来諸君によって、打開されなければならない局面である。

わたくしは、法律実務家が法律学的労作をするならば、そのヒントが実務の間に得られたものであることを希望する。実務のうちから、取材されたことの結果として、その実務家の所論は、真に迫るものがあるであろう。実務家の研究は、大学教授のそれに対して、亜流的のものとならないように心がくべきである。わが国従来の法律実務家の論文や著書には、自主性を欠き、学者のまねごとをするものが、遺憾ながら少くなかったのである。わたくしは、この点について、司法修習生諸君が実務の中にあって法律学的思索を学び、ひいて将来法律学的労作をも遂げることを期待する。私の乏しい過去の経験を述べることが許されるならば、裁判官としての経験上、株式会社が破産したとき、未払込株金の存在が何ら会社債権者に対して担保力を有しない現実に接し、また株金払込請求権が無用に多くの困難な問題を生ぜしめているのを見て、未払込株金の制度を廃して株式全額払込制度を採用すべきことを主張したのであった。(四) そしてこの主張は次第に各方面の賛同を得、終戦後これは結局立法化された喜びを味わった。もっとも司法修習生諸君は、株式は全額払込のものとして教えられて来たので、株式分割払込制度の弊害は知らないだろうが、これは株式会社法の最大の欠陥であったのである。そして「株式全額払込論」のほか、私が従来書いた法律学的論文も、自己の実務上の経験と決して無関係ではないのである。(五)

司法修習生の法律学的研究に関連して、一言する必要があるのは、憲法の研究である。いうまでもなく新憲法の下において、裁判所は違憲立法の審査権を有している。かつて国家総動員法という広範囲の委任立法がなされ、これによって太平洋戦争の直前および戦時中、国民の権利がすべての面において全く拘束されたことを考え、そして当時裁判所に法律に対する違憲審査権が認められていなかったことに思いを致すならば、新憲法下の裁判所の違憲立法審査権の持つ意味の重要性を知るであろう。そして諸君はすべからく憲法的感覚を養わねばならない。法曹たる者は一面細い法律的技術をも修得しなければならないとともに、すべての法律問題は結局憲法に連ることを知らねばならない。もっとも諸君のうちの一部の者は、司法研修所における実務修習、殊に技術的の面の修習について関心を持ち得ないで、憲法論にのみ興味を持つかも知れない。しかし、憲法の解釈も、長年に亘る実定法の解釈の体験を必要とするものであろう。

三　司法研修所における教授方法

大学の法学部における教授方法として、ケース・メソッドを用いることの可否は別として、大学における現在の教授方法は主として講義であるのに対して、司法修習生の修習はケースを中心としている。そして大学の講義の理論的なるに比し、司法修習生の修習は具体的・各論的であるといい得よう。しかし、私は司法修習生に対しても、なお理論的の講義が必要であると考えている。理論的な反省を欠くとき、修習はいわば総論のない各論となってしまう虞があるからであって、それは法律実務家として、もっとも警戒しなければならないところである。司法修習生諸君が、もし何らの理論もなく統一もなく、単に多くの判例や学説を記憶しようとしたならば、それはいたずらに精力を濫費させるだけである。理論は、思考の経済となるものである。法律の研究は、単なる記憶力によるものでなく、われわれは「稗田阿礼」となることを要しない。

商法が司法試験の必須科目でなかった当時、われわれはこれを必須科目とすることを主張し、この主張は幸にも実現されたのであるが、それ以前には商法を全然知らないのに等しい司法修習生も一部にいたようである。たとえば、会社の積立金といえば、会社の金庫の中に現金で保管されるか、または銀行にそのまま預金されていると考える輩である。このような者は、貸借対照表の示す積立金が金庫または銀行預金中にないときは、その会社の取締役を背任または横領として起訴するような蛮勇を振う虞があるのである。したがって、司法研修所においても、司法試験の科目との関係で、講義を必要とするものがあるのであって、その分野が専門的・技術的であればあるほど、その必要がある。司法研修所が会計について、その道の泰斗をお招きして講義を担当していただいているのは、この点の関心を示すものである。

(注一) この点について、本書一四八頁以下参照。

(注二) 私の株主の共益権の主張については、松田・株式会社法研究三頁以下。注意すべきことは、私が、株式会社法を団体法的見地からして、これを各種の団体と比較し、さらに国家とも比較して研究するのに対して、わが国の商法学者の一部はかかる研究方法に対して理解がないのである。これはとかく商法学者が株式会社を商法上のものとして研究し、これを他の法域の団体と比較研究することを怠るからである。この点について、松田・株式会社法研究一〇二頁以下参照。

(注三) この点につき、鈴木忠一判事が近く非訟事件の裁判の既判力という論文集を刊行されることは注目される。

(注四) 松田・株式会社の基礎理論六〇二頁以下参照。

(注五) 拙著株式会社法研究に収めた論文のうちでも、私の実務に取材したものが多いのは、このためである。

五 悪しき隣人

一 契約遵守の基礎

どのように法律実務家として卓越した才能をもっていても、所詮人格が劣等であらば何になろう。否、人格の劣等なものは、「法律機械」ともいうべきものであって、法律家の名に値しない。しかし、往々にして法律的才能と人格とは、相反するものと考えられがちである。「よき法律家は悪しき隣人である」との諺は、これを示している。ここにおいて、法律実務家の養成として、人格涵養の必要が特に強調されるのは、当然である。

この点について一言すべきは、契約の遵守についてである。われわれは人として約束を重んずべき以上、法律家として契約を守るべきことは当然である。しかるに、法律を学んだばかりに、これを悪用し、自己に不利になると、一旦締結した契約について、詐欺・強迫・錯誤その他意思表示の瑕疵についての一切の抗弁を主張して、その契約の履行から免れようとする輩がある。しかし、このようなことは、許されるべきでない。すべて法は、道徳の上に基礎をおかなければならないのである。私は今ここで、法と道徳の関係という旧くから論ぜられた問題について、述べようとは思わないが、しかし、法律家は自分ながらに、法と道徳との関係について、たとえナイーブながら、立場を持つべきであろう。契約は何故に守らなければならないのか。この問題に対して、法律家は答えなければならない。契約の遵守は法的秩序維持の基礎をなすものであるが、おそらく実定法によって契約遵守の理由を明かにできないであろう。私は、契約を守るべきことは、自然法の命じるところと考えるのである。

二　悪しき隣人

私はここで、司法修習生の雑誌に寄稿した「悪しき隣人」の短文をかかげてみたいと思う。それは、私の経験したところに基づくものである。

去年の秋、一天拭うが如く晴れたすがすがしい朝のことであった。「今日は一点の雲もない秋晴ですね」と、私はたまたま会った某氏に、こういった。もちろん彼の同感を期待していたのである。ところが、彼は不服げに私にいった。「そうですかね、今日は雲があるじゃありませんか。」意外に思った私は、「でもよい天気ですね」と付け加えた。

ところが驚いたことには、その時彼は気色ばんで、たたみかけるようにいい出したのである。「失礼ながら、あなたのいわれることは独断じゃありませんかね。というのは、今ここで何心なく東の空を眺めていたら、小さな雲の切れが二つ三つ飛んでいたのですからね。これで、『一点の雲もない秋晴』などと、いえますかね。一体あなたが雲がないといったのは、東京のどの部分についてのことなのか。また朝何時から何時までの間のことなのかね」と。私は面くらった。そしてとんでもない男に話し掛けたことを悔いた。この男とは、天気の話すら、できないからである。おそらくこの人に対して、「提灯に火をつけて下さい」といったら、提灯そのものを焼いてしまうだろうと思った。何となれば、彼に対しては「提灯のなかの蠟燭の芯に火をつけて下さい」というべきであるからである。そして私として遺憾千万であったのは、彼もまた法曹の一員であったことである。

その後、私は彼について、関心を持つに至った。彼についての珍しい話が、少くないことを知った。その一つを述べてみよう。私の友人が散歩の途上、彼に会ったとき、彼に対して「あなたのお宅は、ここから近いのですか」とたずねたそうである。すると彼は即座に答えて、次のようにいったのである。「一体近いというのは、何キロまでのことをいわれるのですか。まず、そのことをお聞きした上でなければ、何とも申しかねますね。」

聞くところによると、彼は学生時代から秀才をもって自任していたらしい。論理の正確と用語の明確は、もっとも得意としたところらしいのである。そして最初、彼がこのような点に意を用いたのは、あるいは彼の「科学的精神」に基づくものであったかも知れない。しかし、彼は学的反省がなく、また良識を欠いていたので、彼のいわゆる「科学的精神」は、いつしか「三百的論理」に過ぎないものとなってしまった。彼は論理を弄したが、そこには学的のものを微塵も見出し得なかった。彼は法曹の一員でありながら、正義的感情とはおよそ縁遠い存在だったのである。彼は単に「三百的論理」によって法律論を試み、常に隣人を悩まして「頭のよさ」を自負し、自己の優越を誇っていたのである。そして、彼の「三百的論理」は、ついに法律論の域を越えて、日常の会話に及んだ。いま述べたところの「雲の話」は、その一例だったのである。

彼のごときは、たしかに「悪しき隣人」である。もっとも彼自身は、「よい法律家」であるがゆえに「悪しき隣人」であると思っているのかも知れない。しかし彼は、はたして、「よい法律家」であろうか。彼は、「悪しき隣人」であって、同時に「悪しき法律家」であるといわなければならない。われわれは、よい法律家であって、同時によい隣人でなければならないのである。

三　叙上において、私は法律実務家としての立場からして、実務と法律学の関係を論じ、さらに法と道徳との問題にもふれた。これらのことは、従来においても実務家側からして、論ずべくして充分に論じられなかったのである。諸君は、新しい時代の新しい法曹となる以上、これらの問題を真剣に取り上げなければならない。そして自己の態度を決しなければならないのである。

（二八・二・一　司法研修所報八号）

民事裁判の体験

司法修習生諸君!!! 私は自分の乏しい裁判官としての経験を他人に話すことを好むものではない。しかし、司法研修所が裁判官の研修機関であり、また司法修習生の修習機関である以上、そこに職を奉ずる私は、いわば教材提供の意味で、自己の経験を述べなければならないこととなったのである。私は、この意味で乏しい自己の経験を述べてみたい。もっとも諸君のうちには年齢の点においても私より上の方もあり、さらに人生経験においては、私よりはるかに豊富な方もあるであろう。しかし、裁判の点については、私の方に一日の長があるといえるであろう。もっとも、私は従来主として民事事件だけを担当した関係上、刑事事件については、ほとんど語るべき経験がなく、これから述べることも、おのずから民事裁判に関するが、それが一裁判官の乏しい経験の一例として、幾分でも法曹教育の材料になるならば、幸である。ただし、私の述べるところは、あくまで私個人の経験に過ぎないことを、忘れないでいただきたい。

一 事実の認定

一 私はこれから裁判官として経験したところを思い出るままに、いわば、そこはかとなく述べてゆきたい。しかし、その述べるところに特に新しいものがないことを、あらかじめお断りしておかねばならない。また私が既に諸君に述べたことを繰返すことがあることも、お許しを乞わねばならない。それは重要な点であるからである。まず第一に述べたいのは、事実の認定についてである。

諸君はあるいは学校で法律の講義を聴き、あるいは法律書を読んで法律の研究をされたのであるが、そこでは「事実」はすでに確定されたものとして、その上に法律論が展開されたのである。しかし、裁判官の職責は、これと異なる。すなわち、まず事実を認定し、それに対して法律を適用するのであって、ここに法律学自体の研究と裁判実務との差、したがって学者と裁判官との仕事の本質的な差がある。このきわめて当然とも思われるところに、裁判官としてもっとも意を用うべき根本問題が存在するのである。

われわれ裁判官はまず事実を認定しなければならない。これは、おそらく諸君が講義において聴かなかったし、また法律書によって学ばなかったところである。

とかく世人は裁判官が法律に通暁することを要するため、これに関する研究には、一方ならぬ苦心をしていると考えるが、裁判官の事実認定の苦心については、あまり知らないのである。われわれが裁判官としての生活で、もっとも精力を傾倒するのは事実の認定である。われわれは、事実の認定について苦しみ、しかもまたこれに多大の興味を持つものである。われわれの法律論も、またこの具体的事実に即して展開してゆく。抽象的な理論のみに興味を持つ人は、事実審の裁判官には適しない。

われわれは法律に関する研究を怠ってはならないが、具体的個々的事実の認定に関して、より以上の関心を持たなければならない。

思うにわれわれが病気になったとき、診察してもらいたいと思うのは、決してその病気の病原菌を発見した学者、あるいはその病気についての特効薬を発明した学者ではない。また必ずしも肩書のある医者でもない。診断の正しい人に診てもらいたいと熱望する。そして病気を正確に判断する人とは、いいかえれば病気に対する事実認定の正しい人を意味する。正確に病気を診断して適当な処置をとる医者を、名医とよぶのであろう。いわば名医とは、多くの経験を通じて到達したところの事実認定の名人であろう。われわれ裁判官の理想もまた、事実認定についての名医になることでなければならない。

二　民事事件については、法律問題の難易によって、これは難件であるとかそうでないとかいわれがちである。もっとも、法律的に複雑な問題を含む事件が難件であることは間違いないが、しかし法律的観点のみからすれば、きわめて簡単な事件であっても、決して難件でないといい切れない。この点は、くれぐれも覚えておいていただきたい。たとえば、金を貸したからこれを返せという貸金請求の訴訟は、法律的にはもっとも簡単なものであるが、このような訴訟でも、事実の認定は必ずしも簡単ではない。たとえば、この場合、被告は原告から借金した事実は認めるが、何月何日原告方に赴いて弁済したと主張したとする。しかし、これに立会った証人もなければ、借金証文も取戻していない場合、被告本人の供述を信用できるか否かという問題に遭遇する。裁判官は、だれでもこの種の事件の認定についても、大いに苦しんだ経験があるものである。

これを刑事事件に例を採ってみれば、一層明瞭であろう。殺人に例をとるならば、いうまでもなく、刑法第一九九条は「人を殺したる者は死刑又は無期若しくは三年以上の懲役に処す」と規定しているので、殺人の事実さえ認定できれば、この条文を適用すればよい。私は、死刑廃止論などの是非は格別として、殺人罪については、現行法の法律的解釈として特に難しい点があるとは思わない。しかし、ここに世人の耳目を聳動せしめた殺人事件が起ったとする。新聞は某が捕まった、彼が殺人犯人だと書きたてる。そうすると、世間では、「犯人が捕まったのに、裁判所は何をぐずぐずしているのだ、犯人を早く死刑に処してしまえ」といい、「人を殺しておいて、法廷で弁解がましいことをいう犯人は憎い奴だ」という。しかし、これは裁判を知らない者の言説に過ぎない。裁判所は犯人として捕まった者が、はたして人を殺したか否かを確めるために、長いあいだ審理しなければならないことが多いのである。換言すれば、事実認定のため、相当の時日を要するのである。

現在訴訟がとかく遅れがちのことは、喜ぶべき現象でなく、訴訟はもっと促進されなければならない。このことは、われわれ裁判官が常に考えなければならないところであるが、しかし諸君が将来裁判を担当した場合、事実認定が極めて困難な仕事であることを充分に意識した上で、訴訟の促進を考えていただきたい。

三　この点に関連して、私はしばしば若い裁判官に伴いがちの欠点を述べてみたい。若い裁判官はややもすると、法律的の点について誤りを犯さないように懸念するあまり――もちろんこの点に注意すべきことは当然であるが――そのことに心を奪われて、無意識的に事実認定について、注意が不足することがある。もっともこのような若い裁判官でも、主観的には真剣に事件ととっ組みながら、若さのために、客観的には事実認定がおろそかになるのである。私もまた、自分の若かったときのことを今から回顧すると、このような危険に陥りがちであったことを思わざるを得ない。諸君が司法研修所を出て一人立ちの法曹となったとき、その若さのために、知らず知らずのあいだに、法律的の面に心を奪われがちの傾向がないとは、いえないのである。

私自身は、裁判官としての生活が長くなるにつれ、事実認定の困難なることを、ますます強く感じて来たものである。しかし、一般的にいえば、裁判官は年とともに、知識・経験が豊富となるに伴って、事実認定に習熟してゆくべきものなのであろう。単に法律的の点については、若い者の方が鋭いこともあるであろう。しかし、事実認定に基づく裁判というものは、そうではない。もっとも、事実認定の重要性ということに名をかりて、中年以上の裁判官が法律的研究に対する怠惰を、カモフラージすることは許されないが、しかし今のべたことは真実である。学校出の秀才であっても、少くとも判事補・検察官・弁護士などの経験年数を通算して、十年以上にならなければ、法律上、「判事」になれないのも、この理由によるのである。

四　物事を型にはめて考えがちの人は、自己の考え方が非常に科学的だと自負しながら、素直に事実を認定できないことが多い。嫁と姑との関係では、姑は常に悪いものと考えたり、家屋の賃貸借関係では、家主が常に横暴なものと、きめこんでいるのは、これである。同様の意味で、自分のかつての経験から類推して考えることは、注意しないと、自己の浅い経験から「型」を作って判断することとなる。自己のかつて経験したことが、どんな状態において、どんな条件の下に行われたかについて、充分の反省を必要とする。裁判には心理学が必要だとしても、生半可の知識はややもすれば、知らず知らずのあいだに、不当な型にはめこんで、事実を観察するにいたる虞があろう。

二　証拠調について

さて、事実認定の容易でないことを、証人の証言との関連で、若干考えてみたい。われわれは、専門的知識がないため、鑑定人の提出した鑑定書の内容を理解するについて、困難を感ずることがあるが、今ここでは、このような点には、触れないこととする。また弁論主義または職権探知主義というような訴訟法上の議論を試みようともしない。

一　「あの男は正直であるから、その述べるところは絶対に間違いない。」われわれは、とかくこのように考えがちである。私も若かった頃、このように単純に考えていた。したがって、証人が正直だと思えば、そのいうところを無条件に信用しがちであった。しかし、正直者の言ならば、無条件に全面的に信用しうるだろうか。たとえば、私がある会議に出席できなくて、代りの人を派遣してその人から会議についての報告を受けたと仮定する。もちろんその人は正直者で、誠心・誠意で私に報告したとしても、そのいうところが全部無条件に正しいといえるだろうか。

まず会議の内容を逐一正確に報告しようと努力しても、会議の議題についての知識がなければ、どうにもならない。次に、議論されている問題の中心を把握するだけの能力がなければ、どうにもならない。会議が日本語で行われていても、専門的事項についての討論は、専門家でなければ、わかるものではないからである。さらに、記憶力がわるい男であれば、会議の有様を、私に報告するまでに忘れてしまうかも知れないし、その人の耳が悪かったならば、どのように努力しても、聞き落しがあるだろうし、その人の身体が虚弱であったら、疲労感のため万事休してしまう場合もあろう。このように考えて来ると、われわれの日々の平常の事務においてすら、正確にものごとを伝えることのできる人ははなはだ少い。結論的にいえば、少くとも正直であって、かつ物事の核心を正確に把握できる人の言葉だけを信用しうるのである。

二　このように考えて来ると、法廷における証人の証言に対しては、きわめて慎重でなければならなくなってくる。われわれは、とかく自分の知識・経験をもって他人の頭脳を類推しがちであって、自分の理解できることは、他人もまた容易に理解できると考えがちであるが、諸君が将来法曹になったとき、その前にあらわれる証人のうち、諸君ほどのインテリは必ずしも多くない。「この目で見たのだから間違いない」と証言する証人が、たとえ真面目にこういっても、客観的の真偽は別でありうる。証人のうちには、精神年齢の未発達のもの、過度に神経質のもの、場合によっては半分くらい頭の狂ったものもいるであろう。幻視や幻聴に基づいて、証言するものもあろう。粗忽者でとかく聞き違い、言い違いをしがちの人、観察力や記憶力の鈍い人も、少くない。これらの者が、主観的に正直に供述するならまだしもであるが、訴訟当事者との深い利害関係のため、故意に虚言を吐くこともあるだろうし、またハッキリものをいえば後の祟が恐ろしいので、いうべきことを黙してしまう場合も、あるだろう。ことに物的証拠のない事件において、原告申請の証人がすべて原告に有利なことを述べ、被告申請の証人がすべて被告に有利なことを述べるとき、偽証による事実認定の誤りをおそれざるを得ない。要するに、これらの者が法廷に、登場する。しかも、法廷におけるきわめて短時間のうちに、初対面のこれらの証人の供述のうちから、客観的な事実を正確に把握しなければならないのである。このため、われわれは、直接審理の必要をしみじみ感じるとともに、人間性の複雑なことを考えて、事実認定の苦しみをしみじみ味わうのである。かくて、われわれ法律家は、「証拠能力」の有無という法律問題より、遥かに「証拠価値」を問題とするものなのである。

以上において、私は人間性の複雑を述べて来たのであるが、われわれは取調に当って、知識の不足を痛感することが多い。私は、先に貸金事件は法律的にもっとも簡単なものであるといったが、同じく「貸金事件」の標題のものでも、銀行の貸金事件については、場合により、「手形貸付」「手形割引」に関して、一応の知識が必要である。また貸金事件の標題でありながら、無尽講の講金を既に受領した者に対して、掛返債務の履行を求める訴訟が、地方的には少くない。この場合は、無尽講についての知識を必要とする。そして、もっとも簡単と思われる貸金事件ですら、このようなむつかしさがある。われわれは社会の複雑性を考えるときに、この点でもまた、事実認定の苦しみをしみじみ味わうのである。

三　事実認定の問題は、必然に証人調に関係して来る。民事訴訟についていえば、終戦後英米法の交互尋問制度が採用されたが（民訴二九四条、民事訴訟規則三三―三六条参照）、その以前において、事実審の裁判長の法廷における最大の仕事は証人調であった。換言すれば、証人の証言のうちから、事実の真相を把握することであった。証人と当事者との関係・証人の年齢・知識の程度・その職業などは、裁判長のもっとも注意した点であるが、どの点から、まず証人を尋問してゆくべきであるかは、事件ごとに苦心したところであった。当事者の提出した尋問事項などには全く関係なく、裁判長は個々の証人について、自分で尋問事項を作って、法廷に臨んだものである。そして五里霧中の事件について、証人の証言から、あたかも写真の現像のように、事件の真相が次第に明かになってゆく過程の味は、格別なものであった。優秀な裁判長とは、証人調が上手な人を指すというも、過言ではあるまい。そして優秀な裁判長の尋問を聞いていると、おのずから証人の供述を措信できるかどうかを知り得ることが多かった。

終戦後証人の尋問権は、当事者に認められることとなった。そしてことに反対尋問については、その技術性が大いに強調されているが、おそらく優秀な訴訟代理人とは、かつての優秀な裁判長のように、聞いている裁判官をしてその証言が信用できること、また信用できないことを、おのずから了解せしめるものなのであろう。しかし、訴訟代理人の尋問は常に必ずしも、優秀とはいい得ない。裁判長は当事者の尋問の終った後、証人を尋問しうるものであり、また必要あるときは、いつでもみずからこれを尋問しうるものであるから（民訴二九四条二項三項）、これによって証人の尋問を行い、その証言から事実の真相をつかみ出すことに努めなければならない。（一）

四　(1)　このように述べてくると、結局われわれはどうしたらよいのかという問題となる。私は、今なお事実認定について苦しむものであって、この点について諸君に語るだけの資格があるものではない。しかし、裁判というものは、結局自己の経験・知識を通じての全人格的の判断であるといえる。したがって、そこには英知が要求されるといい得よう。われわれ法律家に対して、法律的知識以外の豊かな体験や深い教養が必要とされるのも、これによるのである。健全な良識も、また必要である。私はこの点で、法律的知識以外のものの吸収の必要を感ぜざるを得ない。従来、司法研修所が法律実務家の卵である司法修習生に対して、「一般教養」の必要を強調して来たのも、この趣旨にほかならない。それとともに、人は無意識的に予断を持ちがちなものであるから、可及的にこれより脱却する心の準備が必要である。

さらに大切なのは、証拠価値についての判断である。私はここできわめて簡単な一例をあげてみたい。たとえば、諸君の有する先祖伝来の土地について、他人が不法にも諸君の所有権を否認したとしたならば、諸君はいかにしてその所有権を立証できるであろうか。もし諸君に対して、百パーセント確実な証拠を提出することを求めるならば、諸君は立証に苦しむだろう。たとえ諸君がその土地に対する登記簿謄本を提出して、その記載により所有者だと主張したとしても、登記簿は常に必ずしも真実の権利関係に一致するものでないといわれうるからである。また諸君が先祖がその土地を他人より買った古文書を提出したとしても、相手が古文書の真正のことを争うなら、その古文書によって、百パーセントの立証はできないだろう。諸君の申請した古老の証人の証言も、証人の供述にも、誤りがありうるものだというなら、その証言も、諸君の所有権を立証できないこととなろう。しかし、このような結論は、明かに不当であろう。要するに具体的事件につき、証拠の価値をいかに判断するかが、裁判官に課せられた最大の任務なのである。

(2)　しかし、事実認定について現在もっとも要求されるのは、裁判、検察への科学的知識の導入とその応用であり、「司法の科学化」である[二]。われわれは司法研修所が、この点でなすべき責務を感じつつ、充分の効果を収め得ないことを遺憾とするものであるが、しかし、既に若干の寄与をなしつつあることを告げて[三]、諸君も将来この点について努力されることを期待したい。

(3)　事実認定を誤って裁判すること、すなわち誤判はありうるかとの問題について、私は過去の裁判官生活を顧みて自己の裁判には絶対に誤判なしなどと到底自負し得ない。思うにもし諸君が論文を書き、その校正をした経験を有するならば、僅か数頁のものでさえ、注意に注意を重ねてもなお誤植なしといい得ないこと、すなわち誤植に対する不安を禁じ得ないだろう。そして数百頁の本であるならば、必ずや誤植ありといっても、間違いないかも知れぬ。そこには人力の限界を越える問題がある。私は同様の意味で、自己の裁判に誤判なしなどと決していい切れるものではない。しかし、それは誤判は当然ありうるとの無責任な態度ではない。われわれは裁判に対して、全力を傾注しつつも、なお誤判を常に恐れつつあるのである。私の臆測をもってすれば、誤判のもっとも少い裁判官こそ名裁判官というべきものであろう。しかし、絶対に誤判のない裁判官ありとすれば、それは神のみである。

（注一）　この点に関連して、田辺公二・米国における事実認定の研究と訓練（司法研修所調査叢書三号）。なお刑事裁判に関するものであるが、岸盛一・横川敏雄・事実審理（集中審理と交互尋問の技術）は、注目すべきものである。

（注二）　平出禾「司法の科学化について」（ジュリスト一九六〇・五・一）。平出検事正はかつての司法研修所の検察教官である。

（注三）　たとえば、司法研修所編・供述心理（事実認定教材シリーズ一号）や、（注一）に掲げた田辺公二氏論文。なお岡部行男・事実認定の機微（判例時報二二四—二二八号）。

三　「事実」について

一　私は、今までに事実認定の重要性・困難性について、述べて来た。しかし、私がいう「事実」とは、法律的意味における事実であり（民訴一九一条一項三号参照）、世人のいう事実ではない。（一）このことは、諸君に対しては、説明する必要もないことであるが、しかし、その反省を欠くとき、はなはだしい混乱を惹起するのである。

たとえば、原告が被告に対して貸金返還請求の訴訟を提起した場合、被告が金を借りた事実を否認し、さらに進んで金を借りたことがないのにかかわらず、このような訴を提起した原告の人格そのものが劣等きわまるものであるといって、この「人格劣等」のことを証明するための証人申請をしたとしたならば、諸君はこれをどのように取り扱うであろうか。私が、かつて審理したある家屋明渡請求事件――解約申入による賃貸借契約終了を原因として家屋明渡を請求した事件で、解約申入が「正当な事由」によるものと認められるか、否かが争点であった。しかるに、明渡を請求された賃借人は、明渡請求をする賃貸人の人格が劣等であることを法廷で並べたてて、「賃貸人には妾がある」「賃貸人には前科がある」と絶叫して、賃借人側の訴訟代理人もまたこれを助けて、賃貸人の人格劣等を証明するための証拠申請ばかりをした。そのいい分によると、相手方の人格劣等なことを裁判所に分ってもらう証拠以上に、重要な証拠はないというのであった。

要するに、われわれが「事実」ということを法律的に反省することを怠るときに、当事者の証拠申請に引きずられて、「事実」に関係ないことを調べることとなるのである。それは決して、正義感または当事者に満足を与えるという美名によって、許されるべきではない。もっとも民事事件においても、補助的事実について証拠調をする必要のある場合もあるが、全然「事実」に関係ない点について、証拠調をすべきでないことは、当然である。私の控訴審の経験から見るとき、下級審が「事実」についての反省を怠ったため、不用の証拠調をした例を、時に見るのである。もっともはなはだしいのは、原告の主張する事実がそれ自体意味不明瞭であるのにかかわらず、釈明権も行使しないで、多くの証拠調をした場合である。法律的に理由のない抗弁について、証拠調をする必要のないことも同様である。

二　しかし、「事実」に関係のない証拠調をしてはならないことは当然であるが、「事実」に関係があるとしても、当事者の申請した証拠を、無批判にすべて取り調べるべきでないことも、いうまでもない。どの程度まで、これを取り調べるべきであるかは、個々の事件につき、裁判官が判断するほかはないが、民事事件についていえば、当事者が行う検証申請のうち、真に検証の必要あるものは、必ずしも多くないのである。もっとも当事者本人は申請した一切の証拠を取り調べてもらわないと、感情的に満足しないこともあるが、裁判官は証拠のうちに軽重の差あることを知らなければならない。

三　国民の多くは裁判所に出れば黒白は明かになると信じている。そして自分が正しいと信ずる限り、自己の満足する判決があることを期待している。しかし、民事裁判では、原告も被告も善良な国民であって、第三者のために訴訟が起ることが少くない。たとえば、甲が新調の外套を盗まれた直後、乙がこれを着用していることを知って、盗んだ犯人はてっきり乙だと信じ込んで、乙に対して外套返還請求の訴を提起したと仮定する。この場合、甲は乙を盗人と思うから、その人格攻撃もするだろうし、即時に外套の返還の判決が得られなかったら、裁判所は正義に味方しないと思うかも知れない。しかし、盗人がその盗んだ外套を他に売却して、転輾して乙がこの外套を公の市場で代金を支払って買ったとすれば、乙は甲より訴訟を提起されたことに対して、憤りを感じるだろうし、甲よりの人格攻撃に対して、逆に甲の人格を攻撃するであろう。このような場合、原被告双方とも、自分が正しいと信じ切っているのである。このようなケースは、いわゆる即時取得の問題であって（民一九二－一九四条）、単なる正義感情で裁判できるものでないのである。そして民事事件の訴訟では、このように当事者双方が自己の正当性を信じきっている例が少くないのである。

（注一）　民事判決における事実の意義につき、兼子・民事法研究二巻二九頁以下。

四　法律概念について

「君子を欺くには、その道をもってする」という。われわれは法律家であるから、かえって法律語に迷わされがちであり、この点は事実認定上、大切なことである。私は、これについて、若干の例を述べたい。

(1)　土地、ことに借地関係の訴訟で、証人調をすると、証人が「地上権」という言葉を用いることが、しばしばある。土地の賃借権と地上権との差、この点に関する借地法の規定については、私がここで述べる必要はないが、証人が「地上権」と証言したからといって、問題の土地についての権利を直ちに物権法に規定する地上権と判断したら、事実に背反することが多いだろう。土地についての権利は、ほとんど全部が、賃借権であるからである。証人のいう「地上権」とは、読んで字のごとく、土地の上の権利だから地上権というだけであって、証人が地上権といったからといって、そのままこれを信用できないのである。われわれは、証人から、「地上権」という言葉を聞き取るべきでなく、そのいう「地上権」の内容を聞き糺して、そのいうところの「地上権」が、はたして法律上の地上権か賃借権であるかを判定しなければならないのである。

(2) ある事件で、Aがある株式会社の支配人であるか否かが、勝敗を決する点であった。Aは、支配人として登記されてなかったのである。この場合、証人が「Aは支配人である」と証言したとき、その証言を措信して直ちにAは支配人であると断定できるか。われわれ裁判官は、証人からAの有した権限の内容などをきき、これから帰納して、Aが支配人であったか否かを決すべきであって、「Aは支配人である」との証人の一言からして、直ちにAを支配人であると認定すべきではない。このことは、証人の「地上権」という証言を、そのまま採用できないのと同様である。

(3) ある控訴事件で、Xがある合名会社に対して、どのような関係に立つかが重要な点であった。原審の某に対する証人調書によれば、Xはその会社の「社員」であると記載してあった。しかし、それははたして、どういう意味であろうか。諸君は、法律上で社員とは社員にほかならないといわれるかも知れない。しかし、われわれが普通の用語として「社員」というとき、その社員とは会社を構成するメンバーを意味するのではなく、会社に雇われている者を指すのである。学校を卒業して三井の「社員」になったとか、三菱の「社員」になったというのは、法律的にいえば、株主になったことでなく、商業使用人になった意味に過ぎない。このように考えるとき、一般普通人が証人として出廷して、「社員」という言葉を用いたとしても、これをもって直ちに法律的意味の社員とは速断できないのである。

(4) 法律上、「善意の第三者に対抗し得ず」とは、しばしば規定されるところであるが、この善意または悪意の意味が、道徳的判断を含まないことはいうまでもない。善意とは単にある事実を知らないことを意味し、悪意とは単にある事実を知ることを意味するのである。しかし、もし万一にも、この善意・悪意を、誤って通俗的の意味に解する裁判官があるとしたならば、第三者に「好意」があるか「敵意」があるかについて、証拠調をするという笑うべきことを生じるのである。

(5) 右のことに関連して、私は法律語の概念を正確に把握することの必要性を、諸君に考えていただきたい。現在、株式会社の株式は全額払込であるが、これは終戦後の立法(昭和二三年法律第一四八号)によって改正されたのであって、それ以前は分割払込が認められていた。そして多くの会社は、一株五十円のうち第一回払込として十二円五十銭だけが払込まれて設立され、残額三十七円五十銭は会社設立後会社の払込請求によって払込まれていた。このような分割払込制度のため、会社の資産状態が不良のときは、株主は会社に対して一株につき金三十七円五十銭ずつの債務を背負っていると同様の結果となり、株主は万策を尽して株主でないことを主張し立証して、払込責任を免れようと試みたのであった。

さて、このような改正前の法制の下であったが、資産状態のきわめて悪い会社の株主――一株金十二円五十銭払込の株式を数千株有している株主――が「会社設立無効の訴」を提起したことがある。その原告の訴訟代理人は、私の釈明に対してこういった。「この会社が設立無効になれば、会社は当初から不存在のことが確定する。会社が不存在ときまれば、原告は株主でないから、払込義務がないこととなる」と。「そうでしょうか」と反問したところ、「無効の行為が、絶対的に効力がないことは当然である」と力強く答えた。しかし、その訴は、数日後に取り下げられた。おそらく設立無効の場合の「無効」が、民法の法律行為の無効と異なることに気付いたのであろう。いうまでもなく、会社設立無効の判決は形成判決であり、確定によって準解散の効力を生じる（商四二八条三項・一三八条）。すなわち、会社は、解散の場合に準じて、清算手続に入るに過ぎないのであるから、会社設立無効の訴を提起して原告勝訴の判決が確定しても、株主は払込義務を免れ得ないのである。

他の一例を挙げよう。法律上「引受」という言葉が、各所に用いられる。「債務の引受」、「履行の引受」、「手形の引受」、「株式の引受」、「社債の引受」、さらに証券取引法にいう「有価証券の引受」など、いずれもある責任を負担することに関係するが、その内容が各法域によって異なることに、注意しなければならない。

(6) 法律専門語が同時に通俗の用語でもあるとき、一般人の法律に対する誤解を生ぜしめる原因となることがあるのである。かつての美濃部博士の天皇機関説に対する排撃も、純学理上のことを理解し得ないと思われる多くの人がこれに同調した一因は、博士が天皇を「機関」とするのは、天皇を「機関車」や「エンジン」と同一視するものと思って憤ったのではないかと、私は臆測している。われわれは、くれぐれも法律語の意味の正確な理解を必要とするのである。

五　釈　明

釈明権をどのように行使すべきであるかの問題について、若干考えて見たい。もっとも終戦後、民事訴訟法の釈明権が従前に比較して、大いに変更を蒙った点について、ここで法律的の論議をしようと思わない。(一)また第一審と第二審とで、釈明は趣を異にするところがあるが、ここで述べるところは第一審に関する。弁護士としては訴状を書くためには苦心したのであるから、裁判長から法廷で釈明されることをよろこばないこともあろう。被告の提出する答弁書や準備書面についても、同様のことがいえよう。そこで「人心の機微」を知ると自負する裁判官のうちには、釈明権を行使しないで、訴状も答弁書も準備書面も、全部そのまま当事者に陳述させてしまうものがある。そしてそれは裁判官として安易な道である。そこに、裁判官に対する誘惑がある。

提出された訴状を見るとき、請求の趣旨および原因が不明瞭のものがある。そして請求原因自体が失当であるため原告を敗訴せしむべき場合に、裁判長が釈明権を行使しないでこれを放置して証拠調に入るときは、結局無駄な証拠調をしたこととなろう。損害賠償請求事件においては、その請求が不法行為に基づくのか、または債務不履行に基づくのかを、必ず釈明しなければならない。また家屋明渡請求訴訟においては、所有権に基づいて明渡を求めるのか、賃貸借契約終了を原因として明渡を求めるかについて、同様である。裁判長が釈明権を充分に行使しないと、不要の証拠調を多く行って、記録をいたずらに膨大ならしめるのである。しかし、この点についても、われわれの経験として、諸君に語るべきものがある。

私は若かった時代には、請求原因の不明瞭のところを訴提起の当初から全部明瞭ならしめなければならないものと信じていた。しかし、年とともに、訴提起当初の釈明は荒削りとなり、証拠調の進行に伴い、事実関係の明かになるに従い、釈明して事実関係を整頓してゆくようになった。そして抗弁についても、証拠調の結果によってこれを整理し、証明するに足る証拠のないときは、撤回せしめたのである。わが国の現在の民事訴訟の実状では、すなわち訴訟代理人があらかじめ証人らに会って、事実についての取調べを充分にすることのできない状態の下では、法廷における証拠調によって、当事者の主張すべき事実が明瞭になってくることが少くないのである。現在、準備手続は老練な裁判官によってなされるべきものとされているのは、この辺の消息を物語るのであろう。もっとも、最初どの程度まで釈明すべきであるかは、具体的事件について、われわれの経験の教えるところに従うほかはないが、不当に細かく釈明してしまうと、かえって事件をいたずらに複雑化させることもまた、経験の教えるところである。若いときには、主観的には釈明する心づもりでありながら、訴訟代理人と理論闘争をするようになることもありがちである。これは釈明ではないだろう。しかし、わが国の法曹の一部には、これと反対に、裁判所は当事者の主張する事実そのものを重視すべきであるといって、釈明に対して反感を示すものがある。しかし、「事実」を重んずればこそ、釈明が必要なのである。

（注一）　村松俊夫・釈明権（総合判例研究叢書）。

六　判決作成

最後に、判決作成について、若干述べたい。

現在のような民事判決の型が、果して理想的のものであるか否か。これについては、大いに議論があろう。また民事判決については、立法論的にいろいろの案を考え得よう。しかし、裁判官に対する世間の信頼が深いために、裁判官が単に口頭をもって原告勝または原告負という判決主文の言渡をするだけをもって足りるならば格別であるが、そうでない限り、何等かの形式の下に事実をいかに認定し、いかなる理由によって主文のごとき判決をしたかを、書面に記載することを必要とするであろう。これがすなわち判決書を必要とする所以である。

思うに、われわれが担当事件について、単に頭のなかで考えているときは、事実の認定ならびに法律的判断について、充分の自信がある場合においてすら、一度筆を執ると、容易にこれを表現できないことが少くない。そして私自身が今なお判決作成に苦労をしているものであって、どうしたならば裁判官が判決作成の重荷から解放されるかを考えているものである。しかし、諸君は判決という書面の起案によって、思想を整頓することを学ぶであろう。何ら思考力を用いず整頓を行わないで、原告の訴状と被告の答弁書とを丸写にして、民事判決書の作成は容易であると考えてはいけない。判決のうちには、事情がたくさん書いてあって、素人が見ると一見親切のように見えるが、しかも直接争点に関係のないことばかりが多くて、果してどの理由で原告が勝ち、被告が敗けたか分らぬものもある。これなどは、判決とはいえないだろう。

今諸君は、司法研修所で研修しておられる。そして故郷の父母・兄弟を想うとき、おのずから手紙を書かざるを得ないであろう。そして、その手紙には愛情を余分に表現する必要もなく、また美辞麗句を並べる必要もないが、愛情を率直に表現するだけの達意の文を書くことが必要であろう。そして「達意の文」を書きうるためには、相当の修業が必要なのである。判決書もまた、これと同じところがあるといえるであろう。そして、われわれは筆不精になるべからざると同様に、「判決不精」にならないように、心がくべきである。

叙上において、私は民事裁判を中心として、思い出すまま述べて来た。一言をもってすれば、私は裁判官の仕事の困難性と職責の重大性とを諸君に訴えて、諸君の将来の参考にしたかったのである。

（二八・一一・一　司法研修所報一〇号）

巣立ち行く法曹への希望

一　法曹の一体化のために

司法修習生諸君!!!　諸君は近く司法研修所の修習を了えて、これを去ろうとしている。私は諸君と別れる日も、遠くはないのである。私はこの機会に、日頃懐いていた希望を述べてみたい。私はそれが諸君の心の片隅にでも、残ることを期待するのである。

一　去年の秋、私は若い判事補とともに常磐地方を旅行した際、偶然誘われるままに常陸の五浦を訪ねたことがあった。五浦は岡倉天心が晩年好んで隠棲した地である。彼は釣を好んで、しばしば沖遠く舟を出したといわれるが、私は彼のかつての住家の辺から遠く海を眺めつつ、天心がここに立って瞑想したことを想像した。私は天心について知るところ少いのであるが、フェノロサに感奮し、また大観・観山らに薫陶を与えた彼には、「東洋の理想」、「東洋の覚醒」という著述がある。二十世紀の初頭、西洋諸国の圧力の下に四分五裂していた東洋に対して、「アジアは一つだ」といった彼の叫びは——太平洋戦争中に援用されたことは別として——われわれの胸に訴える何ものかがある。「アジアは一つだ。」そしてわれわれにとって、本来「法曹は一つである」といわなければならないのである。

わが国の現状を見るとき、残念ながら、法曹の社会的地位は、必ずしも高く評価されていない。もっとも、新憲法の下で最高裁判所が新たに発足してから、法制上の基本的改革が行われたばかりでなく、裁判所ないし法曹に対する社会の認識も大いに改った。しかし、私は言うことをはばかるが、裁判官に対しては「世間知らず」と非難し、検察官に対しては「岡っ引」と酷評し、弁護士に対しては「三百」と軽蔑する言葉は、遺憾ながら、全くその跡を絶つに至っていないのである。もっとも外国にも、「よき法律家は悪しき隣人」の諺もあるし、ドイツには Rechtsverdreher という好ましからぬ言葉さえあるが、わが国の法曹の地位は、とうてい英米のそれに比較すべくもないのである。

一体、法曹が、尊敬されないで、その社会的地位の低いことは、単に法曹だけの問題でなく、その国において「法の優位」が認められないことを示すものである。換言すれば、そこには、暴力や情実さえもが、支配することがあるのを示すのである。このようなところに、真の文化は栄えることはできない。わたくしは、自分が法曹であるから、このようにいうのではない。法曹が世間の尊敬に値することは、法秩序の前提要件ともいえるのである。

しかし、ひとたび法曹の社会を見ると、従来裁判官・検察官および弁護士の三者は鼎立していた。少くとも、在朝と在野の法曹は、対立していたのである。本来法曹は在朝といい、在野といっても、単に分業として直接掌るところが異なるに過ぎないのであるが、従来両者はとかく共同の目的を意識するところが少くて、職業的対立を強く意識していたのであった。優れた在朝法曹のうちにも、在野法曹をすべて信用できないものと考えていた人もいたろうし、優れた在野法曹のうちにも、在朝法曹をすべて許しがたい官僚だと断定していた人もいたであろう。その対立たるや、きわめて深刻なものがあったのである。このような状態の下では、裁判官・検察官および弁護士の三者が協力して、世間に対して、法の優位を説き、法秩序の尊重を説くことができるであろうか。相互に、法曹の社会的地位を高めることができるであろうか。さらに、三者が協力して、同一の理想のために司法制度を検討し、そのための立法を断行することができるであろうか。否、このようなことは、全く望み難かったのである。そして、それは単に法曹に対するばかりでなく、わが国にとって大きな不幸であったのである。

二　終戦後、わが国においては諸種の新たなる制度が樹立されたが、司法研修所の創設は、もっとも誇るべきものの一つであろう。そして近時、アメリカその他の国が、益〻司法研修所に対して大きい興味と関心とを持つようになったことは、意味のあることである。そして司法研修所は法律実務家養成の機関として、多くの長所があるのであるが、その最大の功績は、法曹の目的の一つであることを、その出身者に刻みつけたことであろう。従来の法曹が口に出すにせよ、出さないにせよ、心のうちに多かれ少かれ懐いていた対立的感情は、ここに終末を告げようとしている。そして新憲法の下で裁判所が法務省と分離して完全に独立し、また日本弁護士連合会は在野法曹を全部包含するものとしてこれに対するが、司法研修所出身者によって、三者は強い紐帯で結ばれるであろう。そして、このことに対する理解と協力を、新しく法曹として巣立ち行く諸君に対して、とくに期待したいのである。自己の採る道を重んずることは、他の者の採る道を非難したり、蔑視すべき理由とはならない。この当然ともいえることを、諸君は心に留めていただきたい。

諸君は裁判官・検察官または弁護士となるについて、近日その志望を決定しなければならないのであるが、それは諸君の個性がいずれに適するかによって、決すべきである。在野法曹を蔑視するから、裁判官または検察官を志望したり、または在朝法曹を官僚として憎むために、弁護士になろうとするようなことが、決してないことを望むものである。右に述べたように、わが国では沿革的に在朝法曹と在野法曹とが感情的に対立していたので、弁護士を志すもののうちには、弁護士は人権擁護を職責とする以上、必然に裁判官や検察官と闘争するのは、司法の民主化のため、止むを得ぬことと考えていたものがあったようである。これは、不当にも裁判官や検察官が人権を尊重しないことを前提としている考えである。しかし、これは不当な対立感情に基づく。裁判官も検察官も弁護士も当然に人権を尊重し、かつ公共の福祉を重んじなければならない。ただ裁判官・検察官と弁護士の別は、同一目的のための分業に過ぎない。要するに、「法曹は一つである」との言葉を銘記していただきたい。これが私の第一の希望である。

二　悠々かつ孜々としての修業

一　諸君は近く裁判官・検察官または弁護士として世に立つのである。もっとも諸君のうちには、将来あるいは政治家を志し、あるいは実業家を志して、法律実務家の第一線を去る者もあろうが、それは僅かであろう。そして在野法曹から裁判官または検察官となり、または在朝の法曹から野に下る者もあろうが、そのことにかかわりなく、これらの者はいずれも同じ法曹の道を歩むものにほかならない。

一体、学校を出て職業を選択する場合、ある者は華やかな行政官の生活に憧憬し、ある者は財界に雄飛することを夢想するであろうが、しかし、これらの職業に従事した者の過半は、ようやく専門的知識と経験とを積むに至ったころ、その意思に反してその職業を去らなければならないのである。これに反して、法曹は、みずから捨てない限り、生涯その道を歩まざるを得ない。このことは、あたかも芸術家の生活にも比すべきものがある。人の一生涯は修業であるといわれるが、法曹は芸術家にも似て、一生その仕事に精進できる幸を有するものである。諸君のうちのあるものは、このようなことの考慮の下に、法曹の道に志されたのであろう。われわれの時代には、正義に対する情熱や、このような考慮が多くの者をして、法曹としての道を採らしめたのであった。

おもうに、法曹の道が生涯修業だということは、一面において絶えざる努力の必要を意味するが、他面において決して焦慮すべからざることを意味する。法律実務家の道に天才は必要でなく、小器用の如きはむしろ禍となるであろう。法曹の道は悠々として、かつ孜々として歩むべきものなのであろう。

二　法曹の道は、右に述べた如くである。諸君は、功を急いではいけない。かつての最高裁判所の小林裁判官は、本来在野法曹出身であるが、ある機会に弁護士としての経験を語られた話のうちに、いまなお記憶に残るものがある。私に聞き誤りがないとしたら、それは一緒に大学を出て弁護士になった友達のうちで、最初幸福に恵まれたものは、多く大成していないというのである。おもうに、年若くしてスタートに恵まれた者は、一時的に若干の産を成し、また名声を博することがあると、戒心しない限り、努力を怠ることとなって、結局蹉跌するのであろう。これに反して、崎嶇たる人生の苦路は、人を磨くのであろう。私は、諸君のうち弁護士を志す者が、ことにこの言葉を味わうことを希望する。私は、諸君がスタートにおいても、多幸であることを祈るものであるが、しかし、たとえ若くして不遇であっても、その環境の下にあって自己を見つめつつ、おもむろに将来のため、実力を養うことを期待する。私が折にふれて、諸君に告げたエマーソンのいくつかの句は、このような時に、諸君を慰めるであろう。Envy is ignorance または Imitation is suicide の句も、そのような境地にあって、諸君に力を与えるであろう。

このようにいうと、諸君は在野法曹の道はそうだとしても、在朝の法曹への門は、いわゆる秀才にのみ開かれているというであろう。私は、諸君に対してデマ――流言蜚語の持つ不可思議な力について、話したことがあるが、諸君がもしこのようなことを信じているならば、やはりデマに迷わされているのと大差ないものであろう。私がちょうど諸君のような生活をしていたとき、すなわち司法官試補であった当時、小山松吉といわれる方が検事総長であった。相当著名な方であったので、あるいは諸君のうちに、その名を知っていられる者もあろう。私は、小山さんについて知るところはきわめて少いが、当時小山さんについて聞いた話が、今なお耳に残るのである。それによると――私の記憶に誤りがないならば――小山さんは検事に任官したとき、多くの同僚が都会地に赴任したのにかかわらず、彼は名も知られぬ九州の隅の飫肥区裁判所――この地名を知らない人が多いだろう――の検事に追いやられた。臆測すると、司法官試補として成績がわるかったためかもしれない。しかし、彼は意気揚々として得々然として九州へ赴任していったというのである。私は小山さんが検事総長になったから、偉いというのではない。意気揚々として九州落した態度に感ずるのである。そして、このようなことは、決して小山さん一人の話ではない。もっとも、このようなことをいって、私は諸君にいわゆる出世主義を鼓吹する意志は毛頭ない。私が二十数年前、司法官試補のとき聞いた話を、さらに司法修習生である諸君に伝えようとするだけである。

三　いうまでもなく、司法研修所は法律実務について修習を行うところであり、その出身者は実務家となるものである。したがって、私は諸君がやがて裁判官・検察官または弁護士になったとき、司法研修所の教育が役に立つことを期待している。諸君は、一見末梢的に見ゆる法律的技術についての修習も、これを軽視しないことを希望する。

しかし、私は諸君が法曹となってから、目前のことだけに役立つような者にならないことを望む。けだし、すぐ役に立つものは、すぐ役に立たなくなるからである。

(1) われわれは、すべてについて無駄を省くべきであるが、しかし一見無駄に見えても、長い目で見ると無駄でないものが少くない。諸君はこのことを知るべきである。しばしばいわれるところであるが、われわれが岩波文庫によって東西古今の名著を日本語で容易に読みうるに至ったことは、一見これによって「無駄」を省くことができたが、しかし、われわれは時には原著によって味読する「無駄」を払うべきであろう。辞書を引き引き本を読むのは、無駄と見えるかもしれない。しかし、語学力などは、僅かの努力では直ちに役に立つほどに養われないが、一旦これを修得すると、いつまでも役に立つものである。私自身若いときに語学に精進しなかった悔を持つものである。私は、諸君が再びその過ちを犯さないことを切望する。私が諸君に対して、「蘭学事始」における解体新書翻訳の苦心を話したのも、この点からの老婆心によるものである。

いま述べたことは、語学の問題のみでない。直接に法律と関係がないため、一見無駄に見えることも、結局法律家として大成に役立つものが多い。私は諸君に対して、決してディレッタントになることを望まないが、直ちに役に立たないものにも関心と興味とを持つだけの心の余裕を希望するのである。私は諸君を司法修習生に迎えたとき、司法修習生の二年間のうちに、少くとも一冊の本を味読し、修習生時代のよい思い出とすることをすすめたのを、忘れないでいただきたい。

(2) 次に、問題を法律の範囲に限定するに、法律実務家として判例や学説を軽視できないことは当然であるが、しかし、直ちに役立つことを目指して、判例・学説の結論のみを暗記するようなことをしないことを望む。かえって、重要な判例・学説について、そのよって生ずる理論を検討し、これを批判するだけの余裕があってほしいのである。もっとも、単に判例・学説の結論だけを覚えることを必要だと考えている者から見れば、このようなことは「無駄」であろうが、このような「無駄」によって、法律的思考力は涵養されていくのである。

私は裁判官としての生活を回顧するとき、その間に法律のはなはだしい改廃のあったことを思い出すのである。商法関係に例を採るならば、昭和十三年の大改正によって、商法総則および会社法の条文数がほとんど倍加した結果、昭和十五年一月一日からその改正法が施行されるにおよんで、われわれはその研究に忙殺された。この大改正によって、従来研究した幾多の条文が呆気なく抹殺されて、これに伴って多く学説および判例も過去のものと化してしまった。そして多くの疑点を持つ改正法について、その解釈を研究したとき、キルヒマンの法律無価値論のうちの句、「立法者の三つの訂正の語があれば、全文庫が忽ち反古となる」を思い出さざるを得なかった。(一) しかるに、この改正法が実際上ほとんど適用されることのないうちに、太平洋戦争に突入し、会社に関しても、軍需会社法やその他国家総動員法に基づく多くの勅令が制定されたが、これらは粗雑な戦時立法であったため、疑義ばかり多くて、われわれはその運用に苦しんだのであった。しかるに、終戦とともに、これらの山なすほど多かった戦時立法は、反古の如くすべて廃止されてしまった。そしてそれに代って、アメリカ占領下においてアメリカ法の影響の下に、株式会社法の大改正が行われた。大陸法系に親しんだわれわれには、ここに全くなじまない新しい多くの制度が移入され、またアメリカの反トラスト法にならって独占禁止法が制定され、そのうちに会社法に対する多くの特別規定が設けられた。われわれはここにおいて、キルヒマンの句以上の苦しみを味わったのである。そしてこのような法の改廃による苦しい体験は、法の運用を掌る法律実務家でなければ、理解できないところであろう。

このような変遷の跡を顧みるとき、われわれが努力して、ようやく記憶した条文や判例のうち、不用となり反古となったものが、はなはだ多い。変革期に際会する法曹は、この点でも、幸でない。しかし、われわれは決して無用の努力だけをしたのではないのだろう。われわれは、このような経験のうちに、基礎的知識、これに基づく法律的思考力が養われたことを覚える。それは、決して単なる瘦我慢の説ではないのである。そして今後も、法律の改廃にもかかわらず、この思考力は依然残るであろう。私はこの点について、蘭学の研究に苦心した福沢諭吉が、英語に最初接したとき、英語についてもまた、蘭学同様の努力を払わなければならないかと考えて、一時大いに落胆したことを思い出すのである。しかし、福沢をして英語に堪能ならしめたのは、蘭学の素養であったのである。もしわれわれが法律的思考力を養わずに、ただいたずらに判例・学説のみを暗記していたならば、判例・学説のないケースに遭遇したとき、どうとも処理できないであろう。私は、諸君が単に判例・学説を暗記する弊に陥ることがなく、法律的思考力を養われることを、この機会に重ねて望むものである。わが国では、とかく博覧強記の人を頭がよい人というが、法律家としての思考力の重要性は、遥かに記憶力以上に評価されるべきものである。

一体、教育というものは、その対象者が多くなると、とかくその行うことが形式的に流れ、規格品を作りがちである。司法研修所設立当初は、伝統もないので、規格品をつくりたくても作れなかったろうが、次第に内容が整備して来た今日では、注意しないと規格品ができ上る心配がある。しかし、司法修習生諸君が規格品にならないためには、諸君が万事につけ思考力を養うことを必要とする。思考力は創造を導き出すからである。

(3) 叙上は、法律的思考力に関するが、法律実務家はその主たる精力を、「事実」に対して注ぐものである。このことは、私が既にしばしば述べたところである。そして事実関係の見方や事実の認定についても、諸君は今後生涯の修業によってますます深めなければならないところである。

要するに、法曹としての修業は、生涯の仕事である。したがって、くれぐれも焦らぬことを切望する。それとともに、直ちに役に立たないものについても、努力するだけの心の余裕を希望する。これが私の第二の希望である。

（注一）キルヒマンにつき、田中(耕)・法律学概論四九七頁以下。

三 論理の遊戯をやめよ

最後に、私は法律家の考え方の癖ともいうべきものに関連して、希望を一言したい。もっとも、それは、広くはインテリ一般の癖とも考えられるが、法曹において一番はなはだしいものであるからである。

一 私は、司法研修所に転じた直後から、司法修習生諸君の全部を約十人ほどの組に分ち、組別に昼食をともにして話し合ったのであるが、これによって私は次のような経験をした。すなわち、私が修習生諸君に対して、「法律実務」について話したときには、必ず「そんなら一体学問をどうするのですか」という発言があった。そして、私が法律実務家が実務に即した理論的研究をも行う必要を話したときには、必ず反対を表明すると見られる発言があった。曰く、「しかし、司法修習生は実務の修習をすべきではないでしょうか」と。しかも、このような経験は、決して司法修習生諸君についてばかりではなかった。私は司法修習生の修習について、法律家と語ることが多かったのであるが、私が裁判官としての経験に基づいて、司法修習生には実務に即する修習の必要を論じたとき、相手はしばしば理論の必要を主張した。実務的才能などは、今後の経験によって容易に修得できるものであるから、若い修習生には理論的訓練を与えるべきだというのである。しかるに、私が実務家となるべき者に対する理論的反省の必要を説いたとき、相手はしばしば実務そのものの修習の意義を強調した。相手方のいうところは、いずれも一応の理由はあるが、この経験は、法律家のものの考え方の面白い癖を、私に示してくれたのである。「実務」といえばこれに対して「理論」といい、「理論」といえばこれに対して「実務」というのである。これは「右」といえば「左」といい、「左」といえば「右」という類である。

およそ法律家は、ある事実に対するとき、これを各種の角度から洩れなく観察し検討することを必要とする。一面的観察は彼らの忌むところであり、また避けるべきところである。このこと自体は、むしろ法曹の長所というべきところである。しかし、「実務の必要」といえばこれに反対して「理論の必要」といい、「理論の必要」といえばこれに反対して「実務の必要」をいう人が、「実務」と「理論」ないし「学問」との関連を真剣に考慮しているならば格別、もしそうでなくて反射的に反対するだけならば、その言うところに全く価値を置くことは、できないのである。私は右の応答によって、多くの法律家も司法修習生も、実務と理論との関係について、真剣に考えていないことを知ったとき、失望を感じるとともに、実務と理論との関係について、従来自己の懐いた立場を一応述べる必要を感じた。「実務としての法律学」は、すなわち、これである。(一)

二 (1) およそ法律解釈にあたって、ある一点のみを取り上げて論ずるならば、諸種の立論が可能でありうる。すなわち、A説に対してB説が対立し、さらにC説も考えうる。あるいはまた、D説をも考えることができよう。このように各種各様の考え方をすること自体も、意味のあることである。そしていわゆるインテリは、できるだけ多くの説を考える方が頭がよいと自負するであろう。しかし、われわれにとって重要なのは、単にこのような各様の解釈を試みることではない。われわれにとって最大の問題は、そのうちいずれの解釈を採るかということである。われわれがまじめな法律家である限り、単にAないしD説を並列せしめて、これに同価値を付することに満足できないであろう。AないしD説をば、そのよって生ずる基礎的理論との関係において検討し、各説の長短を批判した後、最後に、そのうちの一つを選択しなければならないのである。一つを選択しなければならない点で、単なるオブザーバー的批判は許されない。そして、裁判官は、ある法律問題に遭遇するとき、このようにしてその態度を決するのである。すなわち、われわれがある見解を採ることは、理論的思考の結果である。それは決して、便宜のためではないのである。

(2) 法律家の法律的見解の決定は、右の如くあるべきである。しかるに、これに反して法律家であるにかかわらず、基礎的理論との関連において個々的問題を考えることの必要を感じない輩が存在する。これらの者は、その場その場に応じて、しかるべく議論を展開する。そして基礎的理論に関心がないから、換言すれば無軌道であるから、相手のA説に対してB説C説D説その他多くの便宜論を主張する。議論のための議論も、批判のための批判もそこに行われることとなるのである。白を黒といい、黒を白といいうる論法——「堅白同異の弁」もそこに生じるのである。畢竟、それは論理の遊戯であり、法律技術の濫用にほかならない。そして自己に理論的立場がない者は、他説に対する批判の如きも、はなはだしく便宜的となる。初学者のためという美名の下に、簡略の入門書を書き、そこで充分の理由を示さないで、他説を一蹴するようなことも、便宜論の弊を示す一例であろう。

要するに、法律家が「理論」を捨てるとき、便宜論をとることとなる。それは一種のオポテュニストの言説にほかならない。それは、詭弁を弄し、無責任の批判を行わしめることとなる。自己の立場を示さないで他人の説を批判することは、容易なことである。しかし、このような悪習に染まるとき、法律家は堕落する。彼には論理の遊戯はあっても、もはや理論はない。すなわち、法律家の適性を失ったものというべきである。しかるに、便宜論を巧みに行うことをもって、優れた法律家と自負しているものがないではない。そして、その便宜論が非難されると、それは「言論の自由」の抑圧だといって、反撥する。われわれ法曹は協力して、われわれのうちから、このような誤れる見解を排除しなければならない。

(3) 今から約十年前、ある教授が株式会社社団法人説を採る卑見を強く論難されたことがある。その趣旨は、卑見が株式会社組合説に対して、理解がないというのである。しかし、当時わが国の学界では、株式会社社団法人説が定説であったから、これを論難する教授はその理論的根拠を充分に示すべきであったのであるが、その根拠は漠として捕捉し難いものであった。ただその教授の所論のうちに、人的会社の組合性を早くから主張していた私として、興味深く覚えた点があった。すなわち、その教授が株式会社を組合視するからには、当然に人的会社をも組合視されるものと考えたからである。換言すれば、私は人的会社に関する限り、教授の賛成を得べきことを信じたのであった。しかるに、全く意外にも、その教授は次いで新たな論文において、私の人的会社の組合説を駁して、人的会社は社団法人であると強く主張したのである。もっとも別々に考える限り、株式会社組合説も可能であり、人的会社社団法人説もまた可能であろう。そして教授が別々にこれを主張するとき、一応その所論に理由付は存する。しかし、この二つをつき合せて考えた場合、そこに関連がありうるだろうか。株式会社組合説と合名会社社団法人説とは、たやすく両立できるのであろうか。論者は、もとよりこれは可能であるというかも知れない。しかし、現在に至るまで、私は、これを理解できないのである。

(4) 学者のうちには、自己の研究の結果を篋底深く蔵するが如く装うて、自己の立場を充分示さないで批判のみを行い、自己は何らの労作をしないで、人の著書に「けち」をつけ、これによって、自己の頭のよいのを誇ろうとするものがないではない。これは法律学者の陥りがちな危険であるが、しかし法律実務家には、この弊はさらに大であろう。何となれば、法律実務家は学者と異なり、論文や著書をもってその理論的立場を表明すべき義務がないばかりでなく、その取り扱うところは、法律の個々的解釈であるからである。このため、とくに法律実務家は個々的便宜のために、法律を濫用する誘惑に晒されているのである。したがって、また、このゆえに、法律実務家に対しては、学者に比して一層の理論的関心を喚起することを必要とするのである。要するに、法律家が法律解釈に当り、基礎的理論との関連を考えない限り、便宜論を主張しようとすれば、いくらでもこれを主張できるし、また反対するための反対論を考えようとすれば、いくらでもこれを考えることができるのである。この程度のことは、普通の法律家には、易々たるものであろう。しかし、それは法律の濫用であり、法律家の堕落である。それは、われわれのもっとも排斥すべきところである。

三　要するに、われわれ法律家は問題に遭遇して、各種の角度からこれを検討するだけの能力あることを必要とする。しかし、もしわれわれが基礎的理論との関係において考えることを閑却するならば、われわれの言説は単に「右」といえば「左」といい、「左」といえば「右」という類のありふれた批判——無責任のオブザーバー的批評を行うにすぎないこととなる。しかも、これが嵩じるとき、自分は何事も真剣に思索し、または実行する熱意がないのに、単に他人のすることに「けち」をつけて、自己の優秀を誇る徒輩を生じるのである。われわれは、無責任な批評を止めて、問題そのものの解決に努力しなければならない。そして真剣に理論的探究に志さなければならない。われわれのいうところは、単なる批判でなくして、建設的の理論でなくてはならない。この意味において、われわれ法曹は、実行力あるものでなければならない。これが私の第三の希望である。

＊　＊　＊

以上において、私は近く司法研修所を巣立って、裁判官・検察官または弁護士となる諸君に対して

「三つの希望」を述べて来た。しかし、それは決して諸君のみに対する希望でなく、私自身に対する希望でもあるのである。私は、諸君とともに、法曹の一員として、協力して、この希望の実現に努力したいと考えている。そして、この希望が実現されたとき、われわれは幸となるし、わが国もまた幸となるであろう。

（二九・四・一　司法研修所報一一号）

（注一）　本書三七頁以下。

アメリカの法学教育

――日本のそれと比較して――

ここで述べるところは、私のアメリカ法学教育視察の報告であり、また感想である。戦後わが国の大学の教授でアメリカのロー・スクールその他法学教育を視察したものが多いが、法律実務家でありかつその教育を担当するものによる視察は必ずしも多くない。したがって、私の述べるところも、若干存在の理由があるものと考えられる。ことにアメリカでは、わが国のように「法学教育」と「法曹教育」とが分離していないで、両者が一致しているから、アメリカのこの点の教育は、法律実務家養成の点から、関心を持つべきものが多いのである。(一)

(注一) 私の視察は、昭和三十年に行われたものである。したがって、その当時におけるアメリカの法学教育について述べたものであることを、念のため付記しておきたい。なお最近アメリカの法学教育を取扱ったものとして、田辺公二「米国のロー・スクールにおける実務教育について」(司法研修所報一九号)、橋本公亘「アメリカの法学教育」(日本公法学会・日本私法学会編・法学教育所載)。

一 日本の法学部とアメリカのロー・スクール

終戦後の日本の学制は、アメリカの影響の下に根本的の変更を受けたが、わが国の法学教育は戦前と大差なく、ただ新制大学制度の採用によって、大学の法学部における法律の授業時間が減少したに止まるともいいえよう。それは、アメリカの法学教育と全然体系を異にするのである。わが国がアメリカの学制に倣って、いわゆる六・三・三制を採用しながら、法学教育については、アメリカのロー・スクールの制度を採用しなかった。しかも、司法研修所のような制度は、アメリカに存しない。それは、終戦後新たに発足したものであるが、全くわが国の創意に基づくものなのである。

一　アメリカの大学には、わが国の大学の法学部のようなものはない。アメリカの大学では、法律を専門的に教育する部門はなく、ロー・スクールによって初めて法律の専門教育が行われる。そしてロー・スクールに入学するには、大学の二年、三年または四年の課程修了(バチェラーのディグリー)を必要とするものの三種に大体分類することができるが、有名校のロー・スクールでは、四年の大学過程を終えた者を入学せしめるのを通例とする。ハーバード、エール、ミシガン、ノートルデームのロー・スクールなどは、これに属する。もっとも大学の過程のうち三年を終了すれば、入学を認めている著名なロー・スクールも相当あるけれども、そのようなところでも、事実上大学四年の過程を終えてからの入学者が多いといわれる。したがって、これが現在ロー・スクール入学の一般的傾向といいうるようである。すなわち、ロー・スクールは大学と対等的のものでなく、これより上位のものである。

アメリカのロー・スクールの法学教育と日本における法学部の法学教育を比較すると、いうまでもなく、わが国の大学の法学部は、決して純粋に法律家を志す者のみを養成するところでなく、かえって法律家を志すものは、その学生の一部に過ぎない。しかるに、アメリカのロー・スクールは、法律家養成のための専門教育を行うところであって、学生はすべて法律家（ローヤー）を志すものである。この点で、アメリカのロー・スクールは、わが国の法学部よりも、むしろ司法研修所に比較すべきものであり、したがって司法研修所としては、ロー・スクールの教育から示唆を受けるところが少くないのである。

二　私は次に日米の法曹養成方法の差を述べてみたい。

(1)　まず注意しなければならないことは、アメリカの著名なロー・スクールに入学するものは、右に述べたように、多くは大学卒業者であるということである。換言すれば、大学で一般教養科目を修めたものが、ロー・スクールに入学して、そこで始めて、職業教育を受けるのである。すなわち、法律以外の分野について、相当の知識を有するものが、その知識の基礎の上に、法律の専門教育を受けることである。これに反して、わが国では、四年の大学課程のうち、最初の一年半ないし二年間だけ一般教養科目を修めるに過ぎない。ここに、彼我の大きい差がある。わが国では遺憾ながら、往々にして、司法修習生の一般教養の不足が問題とされるのであるが、一般教養科目を充分に修めないで、法律を専攻させて、法曹をつくることは、国家としても幸でないのである。もっともアメリカのロー・スクールの学生の全部が教養が豊かであるなどとは、いい得ないであろう。しかし、彼我の制度の差を見ると、アメリカの制度は少くとも他山の石となるのである。アメリカでロー・スクールを出て、バーの試験（bar examination）に合格した者が、単に純粋の法律事務ばかりでなく、連邦および州の議会、官界、外交界、実業界その他社会の各方面にて重要な地位を占めているのは、その教養の広さによることが大なのであろう。すなわち、彼らは、一般の大学出身者よりも長い学窓生活を営み、長い修業時代を経たものだからである。法曹が社会的に尊敬され、一般人もまた法を重んずるアメリカにおいては、法曹となるためには、他の一般の職業に比して、長い修業期間が要求されているのである。

(2) 次に、ロー・スクールと司法研修所を比較して驚くことは、アメリカのロー・スクールの数が多いことである。すなわち、その数は、約百六十校であり、一定の基準を有するもの、すなわち、いわゆる「アプルーブ」されたものだけでも、約百十数校に達する。ハーバードのロー・スクールなどは、最大の学生を有するものの一つであって、毎年約五百人ほど採用する。そして全国のロー・スクールの学生数については正確な数は知り得なかったが、四万を超えるということである。これらはいずれも法曹を志すものである。これをわが国のように、一つの司法研修所で僅か約六百の司法修習生を将来の法曹として養成しているのに比較すると、彼我の法曹養成の規模について、全く天地霄壌の差を感じないわけにはいかない。

(3) 次に、アメリカのロー・スクールの年限は、原則として三年である。したがって、大学四年の課程を修了してからロー・スクールに入るものとすると、大学入学以来ロー・スクール卒業まで七年を要することとなる。そして卒業後バーの試験に及第して、始めてここに一人前の法曹となる。そしてバーの試験に合格しない限り、法曹となり得ない。この点について、わが国で多くの者が大学四年、司法研修所二年合計六年を要することと比較すると――大学在校生の司法試験の合格率の低いのは別として――年限は、アメリカの方が長いともいい得よう。ちなみに、現在ドイツでは、少くとも大学で三年間法律学を学んだ者が第一次の国家試験に合格するとレフェレンダールとなり、レフェレンダールとして少くとも三年半（最高四年）の修習をしてから第二次の国家試験を受け、これに通過するとアッセッソールとなり、一まず一人前の法曹となれる。一体法曹となるための専門教育の年限が長すぎると、人材を他の分野に逸することとなる。しかし、アメリカのように、法曹の活躍の場面が広く、将来に約束されることが多いなら、法曹教育の年限が長くても、人材を集めることができよう。この点、わが国として司法研修所の二年間の修習期間は、まず妥当なものと思われる。

右に反して、アメリカの夜学のロー・スクールは、期限が四年であって、昼間のロー・スクールに比して、さらに一年長い。夜学なので、期間を短縮しないで、却って延長している点に、合理性が認められる。そして民主主義の下では、法曹への道は広く開かれていなければならない。貧しいため働きながら法曹を志すものに対しても、門戸は開かれていなければならない。この意味で、昼労働する者のための夜学のロー・スクールに対して、私は多大の関心を持つものであるが、アメリカの有名校、たとえばハーバードやエール大学のロー・スクールの如きには夜学はない。これに反して、私の訪ねた大学のうち、カトリック系の大学のロー・スクール、たとえば、ワシントンのジョージ・タウンやニューヨークのセイント・ジョンズのロー・スクールでは夜学校を経営し、これについて多大の関心を持っていた。アメリカの大学のうちには都会の中心を離れたところに位置し、広い立派な校庭(キャンパス)を持つものが多いが、これらの夜学校は、いずれも都心にあって、昼働いた者が仕事の帰りに学ぶに適した場所を選んでいる。そして夜学校の学生からも、多くの優秀な法曹を出しているということは、喜ぶべきことである。

(4) ロー・スクールを卒業しても、直ちに一人前の法曹となり得るのでなく、バーの試験を通過して始めてローヤーとなる。この点については、後に述べる。ただバーの試験を受けるためには、州によって必ずしもロー・スクールの卒業者である必要はなく、一定年限の間、弁護士事務所で実務を修習した者であってもよい。この方法は、本来アメリカの法曹養成の方法であったが、ロー・スクールの擡頭によって、次第にすたれてしまい、今はいわば形式的に残骸を留めているに止まり、これは事実上まったく過去のものである。

三 アメリカにおける裁判官の地位が高いことは、今さらいうまでもない。そして弁護士は社会的にポピュラーでないといわれながら、わが国に比しては尊敬されているものと考えられる。日本の政治家のうちには、法曹出身者も少くないが、政治家として名を成すと、やがて弁護士の第一線の事務から離れ、もはや一流の弁護士でない人が多い。しかるに、アメリカでは多くの秀れた政治家が、同時に秀れた弁護士であるように思われる。私は、このたびワシントンのあるロー・ファームで、たまたまアチソンに会った。彼は弁護士として有名だが、いうまでもなく、彼は前国務長官である。またシカゴでは誘われるまま、スティブンソンの法律事務所をたずねた。いうまでもなく、彼は、大統領候補に立った人であり、将来また立候補するはずの人である。このようなローヤーはおそらく、アメリカ青年の憧憬の的であろう。いずれにしても、アメリカでは、ロー・スクールで数万の学生が、将来の法曹を夢みつつ、努力しているのである。

その社会が、いくばくの法曹を要求するか。これは、その社会の政治・経済・文化・その他各般の事情にもよるが、しかし一般的にいうと、暴力が横行し情実が行われる社会、換言すれば、法の支配のない社会には、法曹は必要でないのである。そこでは、法の代りに、腕力や金銭などによって、万事解決されるからである。法の支配する社会においてこそ、初めて法曹が必要となる。そして法の優位を認めて、将来起り得べき争をも可及的に予防しようとする社会において、予防法学もおのずから発達して一層多くの法曹を必要とすることとなる。

ここで、簡単ながら、アメリカと日本の法曹の数を比較して見たい。この数が、法曹教育の背景を形成するものであるからである。一体、アメリカの人口はわが国の人口の約二倍であるが、その法曹人の数は――統計によって若干差が存するにせよ――わが国のそれに比してまことに驚くべきほどである。すなわち、アメリカにおいてバーの試験を通過した者、すなわち、法曹といいうるものの数は二十万を超えていて、その内訳として、弁護士事務に従事する者約十八万九千、裁判官・その他裁判所の事務に従事するもの約七千九百人であり、連邦・州または地方団体に職を奉ずるものが約二万一千人、私的企業に勤めるものが約一万六千人である。(一)これに比して、日本の弁護士数は、合計数約六千人に過ぎず、しかも大都会に偏在している。そして、これに裁判官・検察官の数を加えても、法曹といいうるものは約一万であって、まったく問題になり得ないのである。しかるに、アメリカでは毎年バーの試験に合格する者が約七千人といわれているのである。われわれはアメリカの法律制度ないし裁判制度を考えるとき、これほど多数の法曹が、その背後にいることを忘れるべきではない。訴訟の促進も、法曹の数と、無関係に考えてはいけない。そしてアメリカでは、一般人が弁護士を利用する率も、わが国とは到底比較にならぬほど高いものと考えられるのである。

この機会に、ドイツにおける弁護士数に触れたい。わが国の法制および司法制度は、本来ドイツに倣ったところが多いので、その弁護士数はわが国に対して多くの暗示を与えるものがある。まず第二次世界大戦前のドイツを見るに、一九二八年の調査によれば、その人口は六千四百万であって、弁護士数は、一万五千五百余人であった。すなわち、当時のドイツの人口は、わが国現在の人口より少いのにかかわらず、弁護士数は、わが国の現在の約二倍半であったのである。そしてわが国現在の「司法書士」の数は一万を超えているのであって、これに弁護士数六千を加えると、ドイツの右の弁護士数とほぼ一致するのである。これは偶然の暗合ではないだろう。私の臆測によれば、ドイツ人が弁護士に依頼し、相談している事件数を、わが国では弁護士と司法書士とが分担しているのであろう。次に、最近の西独について見るに（西ベルリンを含めて）、西独の人口が約五千四百七十万であるに対して、その弁護士数は、約一万七千人であって（一九五九年の調査）、一九二八年における全ドイツの弁護士数を超えている。このことは、おそらく西独における社会が、ますます多くの法曹を要求していることを示すものともいい得よう。

私は、アメリカ滞在中、彼我の法曹の数について話した折、幾度か彼の地の弁護士から「日本の弁護士は羨ましい。まるで弁護士の天国だ」といわれたのであった。何事でも、他人のことは、とかくよく見えがちであるが、アメリカのように弁護士数の多いところでは、競争がおのずから激甚であって油断をしていると、たちまち脱落してしまう。そこで弁護士は、脱落しないために絶えず修業が必要となる。後に述べる弁護士の研修は、このためのものである。

四　次に、一体アメリカのロー・スクールに入学試験があるかという問題である。この点について、日本には余り紹介されていない。私は、アメリカに行って、しばらく経ってから、ロー・スクールには日本におけるような入学試験がないことを知ったのであった。アメリカでは、すでに述べたように多くのロー・スクールがあるが、その有名校のうち約四十校は、ロー・スクール・アドミッション・テストということを行っている。これは、法律の知識の試験ではなくて、法律を学ぶについての適性の検査であり、すなわち、そのため読書力・理解力・推理力などを試験するのであって、ニュージャージー州のプリンストン大学内のエデュケーショナル・テスティング・サービス（Educational Testing Service）という機関が、これを掌っている。そしてこのテストは、この方法を採用しているロー・スクールの代表者から成る委員会の協力と支持のもとに、行われるのであって、毎年四回行われ、ロー・スクールの入学志願者は、アメリカの主な都会でこのテストを受けることができる。このテストの方法は、マルティプル・チョイス式のものである。それぞれのロー・スクールは、このテストの結果を入学志願者の大学における成績などとともに参酌して、採否を決しているが、大学における成績と、アドミッション・テストの結果のうち、いずれを重く見るかは、ロー・スクールによって異なっているらしい。面白いのは、大学それ自体に格付が、行われていることである。たとえば、ハーバード大学やコロンビア大学のような有名校の卒業生は、ロー・スクールの入学に当り、きわめて有利に評価される。その結果、わが国の入学試験による画一的採点による及落の決定と違って、ロー・スクール側が、志願者の採否について、ある程度の裁量を持つ結果になっているようである。このアドミッション・テストを採用したのは、ここ七、八年来のことであるが、その結果はきわめて良好らしい。わが国の司法研修所が実質的にアメリカのロー・スクールに近いものとするならば、司法研修所への入学試験ともいうべき司法試験においては、単に法律の知識の試験でなくて、司法修習生として法律実務の修習をするについての適性、さらに法曹としての適性の有無について、テストをも行うべきものとすべきであろう。

ここで一言する必要があるのは、アメリカのロー・スクールでは、入学後一年目の試験によって、わが国では想像されないほどの多数の脱落者を出していることである。しかも、この脱落者は、わが国の落第と異なり、ロー・スクールから放逐されてしまって、学校にとどまることができないのである。これは、ロー・スクールの修業の厳しさを如実に示すものであるが、かつてコロンビア大学のロー・スクールでは、入学一年後に、五〇パーセントが脱落したことがあったという。またハーバード大学のロー・スクールでもかつては、次のようにいわれていた。すなわち、「入学したら、まずはじめに右の席の者と左の席の者の顔をよく憶えておけ。一年後には、そのうちの誰かが必ず脱落する」と。もし三人のうち一人脱落するのであれば、約三割脱落するわけである。しかし、現在コロンビアのロー・スクールでも、ハーバードのロー・スクールでも、入学一年後の脱落者は、かつてのように、はなはだしくなく、一割程度までで、すむようになっている。そしてその有力な理由の一つは、入学にあたって「アドミッション・テスト」が行われ、その篩の効果なのである。これと対照して面白いのは、ロー・スクール・アドミッション・テストを採用していないところの例である。私は、ボストンにあるボストン・カレッジのロー・スクールを再三訪ねたことがある。そこの学生数は、全部で約五、六百人ほどであって、司法研修所とほぼ同数であるほか、それはカトリック系のロー・スクールなので、法曹倫理を宗教との関係で、どのようにして教えているかの点で、私の関心があったのであるが、そこでは、ロー・スクール・アドミッション・テストを採用していなかった。そして入学一年後までの脱落者が、入学者の二五パーセントから三〇パーセントにさえも達していた。そしてこの「テスト」についての関心は、ついに私をその本部の所在地であるプリンストンにまで導いたのであるが、その梗概は、司法研修所報に報告されている。(二)

五　入学後一年の間に、多数の脱落者を出すことからしても分るとおり、ロー・スクールはなかなか容易ならぬところである。わが国の学生の想像し得ないほどに、厳しい修練の道場なのである。そして、ハーバードのロー・スクールなどは、試験の成績によって、席順をつけている。わが国では、大学の席順などは、かつての遠い昔の物語になっているが、ハーバードのロー・スクールでは冷い現実の問題である。そして、アメリカの有名なロー・スクールは、いずれもそれぞれ機関雑誌としてロー・レビュー(Law Review)を有し、成績優秀の学生をして、これを担当せしめているが、ハーバードでは、第一学年の試験成績が一番から二五番までの者を、ハーバード・ロー・レビューの編集に関係させるのである。逆にいえば、これに関係したことは、秀才であることの立証となり、卒業後ロー・クラークになり、またロー・ファームに入るときに、大いに役立つという。アメリカの官界の最大幸運児といわれ、スピード的出世をしながら、しかもついにスパイ事件で失脚したアルジャー・ヒスもまた、この編集に関係したとのことである。

私がハーバードについたとき、面白いことに出会った。それは、従来の席次制度に対する反対である。それは起るべくして起ったものであろうが、しかしこの問題について組織された委員会――教授と学生から成る――の報告は、従来のやり方を変更する必要がないということであった。いずれにせよ、アメリカのロー・スクールのように、席次をつけたり、多くの脱落者を出したならば、わが国の大学の法学部でも、また司法研修所でも、大問題となるに違いない。アメリカのロー・スクールの学生は、将来の希望は別として、学生としての修業は、決して生やさしいものではない。私はわが国の司法修習生が、どの程度時間的に余裕があるか、自由であるかについては、従来非常な関心を持っていて、この方面をいろいろ調査して来たものであるが、司法修習生は忙しいにせよ、忙し過ぎると認められない。おそらく、アメリカのロー・スクールの学生に比較しても、より時間的余裕があるもののように思われる。ロー・スクールの学生に映画を見る暇がないといわれることは、誇張を伴うにしても、真実の面もあるのであろう。もっとも、われわれは、かねてから、アメリカの大学の学生がフットボールに熱狂していることを聞いていたし、彼の地では、到る所の大学に豪壮なスタディアムがあるようである。そしてアメリカ人は、一般的によい意味で、日本人よりも生活を楽しんでいるといえるのであるが、しかしロー・スクールの学生は、フットボールに熱中していない。これをやっているのは、大学の学生すなわちロー・スクールに入る前の者である。ロー・スクールの学生は、何しろ勉強にせわしい。そして、ロー・スクールの生活が終ると、そこには、さらにバーの試験がひかえているのである。

（注一）本書三五頁（注三）参照。
（注二）ロー・スクール・アドミッション・テストにつき、司法研修所報一六号参照。

二 ロー・スクールの教育

さてロー・スクールの法曹教育について、いささか見聞したところを述べたい。日本の大学でも、東大と京大との間には法学教育について伝統的に学風の差があるが、各大学の法科の間に必ずしも、特色を見出すことはできないであろう。しかるに、私の視察した二十校近くのロー・スクールは、いずれもその特色があって、一校の法学教育から他校のそれを推すことはできない。ロー・スクールの教育は規格化していないのである。この点で、私がハーバードのロー・スクールを訪ねた次に、エール大学のロー・スクールを訪ねたところ、その学長が、「ハーバード・ロー・スクールは法律の文字を教える。しかし、エールでは、法律の精神を教えている」といって自校の特色を誇ったことを思い出すのである。したがって、アメリカのロー・スクールの教育を一般化して述べることは危険を伴うが、私はアメリカのロー・スクールの教育一般と日本の法学教育ないし法曹教育とを比較してみたい。

一 まず、アメリカでは、わが国に比べて、法学教育自体について、盛んに論議され研究されていることが、強く感ぜられる。私は職を司法研修所に奉じてから、法学教育についてのわが国の文献を渉猟したことがある。わが国では、法学教育の理念についてきわめて注目すべき論述があり、また法学教育の方法については、末弘博士によってケース・メソッドが導入されて以来、これについての研究もあるのであるが、(一) その数は、少いと言っても過言でないであろう。しかるに、アメリカでは法学教育自体、ことにその方法について盛んに研究されている。このことは、羨ましい限りである。アメリカの法学教育の沿革、現在における法学教育の諸問題およびその批判を要領よく纏めたものとしては、ハーノーの法学教育論（Albert J. Harno, Legal Education in the United States, 1953）がある。(二) つぎに、法学教育を取り扱っている専門雑誌としては、アメリカのロー・スクール協会（Association of American Law Schools）が一九四八年から「法学教育」（Journal of Legal Education）という季刊誌を発行しており、法学教育に関する諸問題の焦点は、ここに集められている観を呈している。もしわれわれが、この雑誌数巻を手にするならば、「将来における法曹の教育」「法学教育と公共の福祉」という如き理念的の問題から、「ロー・スクールにおける俸給」のような現実の問題までも取り扱った論文を見出すことができるし、法学教育自体に関しては、「アメリカの法学教育におけるケース・メソッド」「一般教養と法学教育」「法学教育におけるインターンシップ」はもちろん、そのほか、プリリーガル・エデュケーションにつき、また諸外国の法学教育の紹介、アメリカの各ロー・スクールの各種の新しい試みについての報告が記載され、さらに新しいケース・ブックやテキスト・ブックの新刊紹介も行われていて、法学教育の発展に資するところが、はなはだ大きく、わが国に紹介すべき論文もはなはだ多いのである。この雑誌の刊行はノース・カロライナ州の有名なデューク大学（Duke University）のロー・スクールによって担当されているのであって、私は五月初旬そこを訪ねて、教えられるところが多かったのである。さらに注目すべきことは、法学教育についてのセミナーが行われていることである。たとえばハーバードのロー・スクールでは、ケーバース教授（Cavers）――先に日本にも来られて、日本の法学教育を視察された――がこれを担当していた。そのセミナーでは、まずケース・メソッドが詳細に各種の角度から取り扱われ、ついでプロブレム・メソッド（problem method）に及び、さらに法律的文書の作成、法曹の倫理とその職業的責任について論及し、法哲学ならびに法制史の教育方法をいかにすべきかの問題、さらに訴訟遂行や模擬法廷についての問題などが、次々と取り上げられる。そして、ケース・メソッドは、わが国でもすでに田中耕太郎博士その他によって、その功罪について論ぜられているところであるが、このセミナーでは、きわめて具体的にかつ詳細にこれを取り上げ、クラスにおける教授方法としてこれをどのように用いるべきであるか、ケース・メソッドと学生の自習との関係、この方法による実務的能力の鍛錬の効果、この方法の価値などについて討論される。私は、ハーバード滞在中、幸にも数回このセミナーに出席することができたのであった。要するに、アメリカでは法学教育自体についても、単に抽象的でなく、きわめて具体的にこれを取り上げて研究しつつあるのである。そしてアメリカでは、日本におけるように「法学教育」と「法曹教育」が分離していないから、法学教育は法曹教育であり、法曹教育は法学教育であるといえるのである。

（注一）　この点の文献につき、日本公法学会・日本私法学会編・法学教育の巻末の文献目録参照。
（注二）　司法研修所はこの本を訳出した。ハーノー教授・アメリカの法学教育（司法研修所調査叢書二号）。

二　次に、アメリカのロー・スクールの教育をわが国の大学の法学教育に較べてみたい。

(1)　最近わが国へ来たアメリカのロー・スクールのある教授は、その理解したところに誤りのあることを恐れるといいながら、私に印象をつぎのように語ったのであった。「日本の大学では――もっともセミナーもあるが――教授は自己の理論に立って、その専門分野を『講義』の方法によって教える。生徒は黙って、それを聴いてノートをとっている」と。ケース・メソッドに慣れたアメリカの教授には、このような第一印象は、きわめて自然なものと考えられる。そこに、日米の法学教育の方法の差があるのである。

およそアメリカのロー・スクールでは、何といってもケース・メソッドが――もっともその発祥地たるハーバードでも、今や教授によって、著しくそのやり方は違うが――教授法の中心を形成し、ことにロー・スクールの第一年において、そうである。そこでは討論が盛んに行われる。教授は、多く語ることをしないで、学生に考えさせ語らせる。この方法は、学生に多くの予習の時間を用いさせ、その負担は決して軽くないところであるが、しかし受身に講義を聴くのと異なり、学生に教授とともに研究に参加しているとの喜びを味わわしめるのであって、ことにその判例の批判的分析は、法律的思考力を養うことに、役立つことが大であろう。これによって、学生は具体的事案に接した場合、どのようにこれを取り扱うかを習熟する。このことは、わが国の法律学生がとかく暗記することをもって法学研究の要諦だと考えているのに対して、多大の教訓を含むのである。またケース・メソッドは具体的事実に即しているだけに、事実関係を軽視して論理的明確性のみを重視する弊を、矯めることができる力があるであろう。もっとも、その創始者であるラングデル（一）の考えたケース・メソッドは、判例から帰納的にそれに含まれている原理を導き出そうとしたものであり、その点で科学的と称されたのであるが、かえってそのため政治的・社会的・経済的などのデーターなどは、除外されることになるのであって、そこにケース・メソッドの弱点も存していた。しかし、現在のケース・ブックには法律以外の資料が多く加えられているし、ロー・レビューからの抜萃や制定法の規定やさらに書式まで加えるものが多く、ケース・メソッドはこのような修正を受けながら、依然として主たる教授法であるのである。ただ、しばしばいわれることであるが、アメリカが判例法の国であることが、この方法を有効ならしめているのであろう。問題となるのは、ルイジアナ州のように民法典を有する州が教授法としてケース・メソッドをどのように取り扱うかであるが、私は残念ながら、その地の滞在の日数が少かったため、充分にこのことを調査し得なかった。

ケース・メソッドを司法研修所で採用すべきであるか否か。既に知られていることと思うが、司法研修所の前期および後期の修習では、実際上存在した事件の記録を印刷にしたものを教材として用い、これによって教官と司法修習生とが主として、討論の形で修習してゆくのであって、それはロー・スクールで用いられるケース・ブックと異なり、訴訟上の一切の書類がつづられている。したがって、これによって法律問題の検討のほか、そこに展開される事実関係の認定を学び、釈明や証人尋問の巧拙までも、この記録を通じて学ぶことができるのである。この方法は具体的事実に即したところの、法律的思考力を養成するものである。私は司法研修所のこの教材は、ケース・ブックに劣らない効果があるものと考えている。私は、わが国の大学の法学部が時間が許すならば、このような教材を用いるようになることを、ひそかに期待するものである。

ただ私は、ケース・メソッドは討論を主とするものであるから、これは参加すべき学生の数が少い場合にのみ行われるものと想像していたのであったが、ハーバードのロー・スクールで百人、二百人の学生のいる教室で、この方法の用いられるのを見たとき、私は意外の感に打たれた。このような場合、討論に参加できる学生の数は、多くあり得ないのである。一体、法律家養成のような専門教育は、できる限り小人数を単位とする個人的指導が望ましく、多量生産的の方法は、学生の能力を伸ばすゆえんではない。このことはアメリカの法学教育者にも、承認されるところである。この欠点を補うためであろうか、ハーバードのロー・スクールでは、数年来一年生を二十人くらいまでの組に分って、ティーチング・フェロー (teaching fellow) と名づけるロー・スクールを出て間もない若い先生格の者が、これを指導している。これは、初めて法学の勉強を始めた者に対して、一年のコースに即しつつ助言し指導している。ほぼ同様のことが、シカゴ大学のロー・スクールでも行われ、そこでは指導に当る者をテュートリアル・フェロー（tutorial fellow）と呼んで――シカゴ大学のロー・スクールでは自校がこの制度の創始者という――いる。この制度は、アメリカでは少数のロー・スクールの行うところであって、近年行われるに至ったのであるが、司法研修所の約五十人による組別の制度は、小人数を対象とする個人的指導を加味しており、従来相当な効果をあげているといえるであろう。

（注一）ラングデル（Langdell）（一八二六―一九〇六）は、ハーバード大学のロー・スクールの教授であった。

(2) わが国の大学の法学部の教授は、その名は「教授」であっても、学生を教えることとともに、その部門の学者であることが要求される。一流の教授とは、教え方が一流なのでなくて、学者として一流たることを意味する。そして一流の教授のうち、法律実務の経験がある者は、はなはだ少い。しかるに、アメリカのロー・スクールの教授のうちには、優れた学者のあることは当然として、一般的にいって、教授は必ずしもわが国の意味における学者であることが要件とされていないようである。かえって、教授は、いずれも法律実務の経験を、多かれ少なかれ有していて、実務の経験のない者は稀である。このことが、法学教育上に影響があるのは当然であり、したがって法律学と法律実務とはきわめて深い関係に立つ。これは、ロー・スクールが法律実務家養成を目的とする制度であることによるが、本来実際的であり実用性を重んずるアメリカの学問の特色を示すものであろう。この点で、アメリカの法学教育は、ドイツのそれと対照的といいうる。もっとも、この点でドイツは必ずしも日本のように、法律学と法律実務とが分離していない。このことは、ドイツの大学の法学部の卒業者は大部分が国家試験を受けてレフェレンダールになることとの結果として、大学の法学部の教育は当然に実務に無関係であり得ないからである。さらに学問上でも、例を商法に採れば、実務家の手になる文献を除くときは、ドイツの商法学界は寂寥たるものになってしまうのである。わが国で、ドイツの商法学者の著書として引用せられるうちには、実務家による本が、少くないのである。しかし、何といっても、ドイツの法学教育とアメリカのそれとは質を異にする。試みに、わが国の大学の法学部の若い助教授が、ドイツに留学した場合を想像してみると、もし彼の専門分野が実体法であったならば、主としてその専攻する実体法について、たとえば民法専攻のものはドイツの民法について、商法専攻のものはドイツの商法についてのみ研究し、ドイツの訴訟法ないし裁判の実情は、あまり関心事ではないだろう。しかし、その若い助教授連も、一度アメリカのロー・スクールに学ぶならば、必ずその専攻する実体法と訴訟法との関係に注意を向け、証拠法や交互尋問にも関心を持ち、「訴訟」や「裁判」という観点から、その専門を眺めるようになることと思われる。これは、アメリカのロー・スクールの法学教育がそうであるからである。この点で、アメリカに多くの若い学者を送っている現在のわが国として、やがてアメリカの法学教育は、わが国の大学の法学教育に重大な考え方の変改をもたらすものと考えられる。

叙上に関連して、同じく「理論」という言葉を用いても、ドイツの学者のいう理論とアメリカの学者のいう理論との間には、かなりニュアンスの差があるのではないかと考えられる。私は、アメリカの法律思想の傾向、ことにプラグマティズムやネオ・リアリズムなどについては、充分知るところがないものであるが、私がかつてドイツ滞在中に会ったドイツ学者から受けた印象とこのたびの旅行でアメリカの学者から受けた印象を比較すれば、一般的にドイツの法学者は、客観的真理・普遍妥当性を把握しようとするに対し、アメリカの学者の多くは、本来このようなことを意図しないし、またその可能性もあまり信じないように見受けられる。アメリカの学者は、主として個々的にのみ問題を取り上げ、その実用性を論ずるのである。その態度は、あるいは自然科学的であるともいえる。しかし、またケース・メソッドによってケースごとに先例を求め、個別的にのみ考えることに慣れたため、問題を一般化して、基本的原理によって解決しようとしない弊もあるのであろう。私は、最初ハーバードのロー・スクールで商事法専攻の有名なロス教授（Louis Loss）に会った折、たまたま私が「企業自体」の理論に言及したとき、彼は私が空理空論を主張するような印象を受けたのではないかと思ったのである。このような経験は、このたびの旅行中で少くなかったのであった。おそらく日本の学者、ことにドイツ法的に育った学者が米法について予備知識がなく、突然アメリカの法学者に会ったならば、おそらく日本の学者は相手を理論的でないと考えるだろうし、アメリカの学者は、日本の学者を空論家と見るであろう。日本の学者のうちには、総論だけ持っていて各論を有しないものがあるといわれるが、アメリカの学者のうちには、各論だけあって総論のないものがあるのかも知れない。そこには、極端な実用主義的法学が支配する危険が存しうる。そこには、ドイツの法学者におけるような哲学的なものを見出すことはできないのである。しかし、私がこのように感ずること自体が、私がドイツ法的の法学教育のうちに育ったためかも知れない。この点で、アメリカの学者の日本の法学および法学教育に対する批判(一)に率直に耳を傾けるべきであろう。しかしいずれにせよ、私は、かつてドイツに遊んだ折、多くのドイツの学者に接したことと、今度多くアメリカの学者に会ったことを比較しつつ、国民性によるものの考え方の相違をしみじみ味わったのである。そして等しく「哲学」という言葉も、アメリカ人のいう philosophy は決してドイツ人の考えるような重々しい Philosophie ではないのである。

（注一） たとえばゲルホーン「日本の法学と法学教育」（ジュリスト一七六号昭三四・四・一五）。

(3) アメリカのロー・スクールの科目を見るに、これはロー・スクールによって異なり、また年度によって異なるが、私がハーバードのロー・スクールを訪ねたとき、その科目は大体つぎの如きものであった。私は簡単ながら、その輪郭を述べたい。これによって、アメリカの法学教育の一端を幾分とも知ることができると思うからである。ただ以下に述べる各科目の内容は、必ずしも日本のそれと等しいものでないことに、注意を要する。そして第一年の科目は、契約法・財産法第一部・代理・不法行為法・民事訴訟法および刑法であって、いずれも必修であって、選択科目はない。そのほか、すでに述べたところのティーチング・フェローの指導のもとに、グループ・ワークが行われる。第二年では、必修として、憲法・行政法・商法——日本と範囲が異なり、会社法は含まれない——・会社法

第一部・税法・信託および会計学であって、以上のうち、商法の代りに労働法か財産法第二部を取ることが認められる(商法をとらなかった者は、第三年で商法をとることを必要とする)。そして第二年の選択科目としては、アメリカ法制史・比較法(主としてローマ法系に立つ現代の欧州の法律体系について)・ソヴィエット法とアメリカ法の比較・法哲学入門・法律の制定手続・世界の機構(国際連合憲章の研究の如し)のようなものがあり、その一つを選択することを必要とする。第三年では、多くが選択科目となる。これは、学生をして最もその必要と感じ、または興味を覚える科目について、研究せしめるためであり、その科目は、たとえば財産法第二部・家庭関係法・会社法第二部・保険法・労働法・労働協約法・国際法・国際私法・著作権法・商標法・証拠法・多数債権者の権利(creditors' rights)(破産・レシーバーシップ・会社更生の如き)・衡平法上の救済・連邦裁判所と連邦組織・地方公共団体法・証券取引に対する規制・企業に対する規制・税法・不正競業法などである。そしてまた三年生は若干の特定の法律問題について精力を集中して研究を行い、これによって法律的思考力を養うために、一つのセミナーをとることが要求されているし、また選択した特定の分野の問題について、書面による研究報告が求められている。この特定の法律問題についての研究は、あるいは司法研修所が従来司法修習生に対して、特定の分野における深化した研究を奨めていることと一脈通ずるところがあろう。以上のうち、とくに注目すべきは、会計学をロー・スクールで教えていることである。これは、アメリカのロー・スクールの新しい一つの傾向といいうるのである。(一) エール大学、コロンビア大学、シカゴ大学などの各ロー・スクールでもいずれも会計学を教えている。思うに、会計学的の知識、しかも法律学との関連における会計学の知識がなくては、近代の企業に対する法律問題の解決は不可能であり、これに対する監督も困難となろう。私は、司法研修所が初歩的のものながら、司法修習生に対し、法律学との関連を重んじつつ会計学を課していることが——そして一部の人からは無用視されたことがあるが——アメリカと暗合するところあるのを感じ、大いに意を強くしたのである。さらにハーバードのロー・スクールでは、大学院ともいうべきグラデュエート・コース(graduate course)には、きわめて多くのセミナーがある。先に述べたケーバース教授の法学教育のセミナーも、これに属する。その他司法に関するセミナーがある(それは、judicial administration とよばれる)。訴訟遅延に対する対策、その促進のための手段の研究、そのための訴訟手続の改革なども、ここで取り扱われるという。

以上は、ハーバードのロー・スクールについてであるが、他のロー・スクールでも注目すべきものがある。たとえば、エールでは、事実認定(Fact Finding)が、ジェローム・フランクによって行われていた。ジェローム・フランクはわが国でも早くからその令名を知られ、その著書もまた知られているが、彼は判事たるとともにエールで教壇に立っているのである。(二) そしてエールには、その他マックデュガル教授(McDougal)の法と科学と政策(Law, Science and Policy)の如き、またノースロップ教授(Northrop)の最近における法社会学と法哲学(Recent Sociology and Philosophy of Law)の如き科目がある。この最後の科目では、リーガル・リアリズムの問題、パウンド、エーリヒ、ラスウェル、マックデュガル、ケルゼンらの学説や自然法が取り扱われる。注目すべきことは、エール大学のロー・スクールには法律家ならぬ教授がいることである。たとえば、右のノースロップ教授は本来法律家でなく哲学者であって、しかもロー・スクールの教授となっているのである。すなわち、わが国で見るような、他の学部の教授が、法学部の講師を兼ねるのと全く趣を異にする。このことは、エール大学のロー・スクールがいかにこの方面を重んじているかを示すものである。同様のことは、シカゴ大学のロー・スクールでも行われていた。すなわち、そこの教授陣のうちには、経済学者や社会学者がいるのである。これらのやり方は、われわれに多くの暗示を与えるように感ぜられる。私は、アメリカのロー・スクールを二十校ほど視察したのであるが、感じたことは、その各々が新しい科目やセミナーを試み、また新しい教授方法を試みて、常にどうしたならば法学教育の効果を挙げることができるかを研究しているように思われたことである。この点は、わが国の大学の法学部も司法研修所も、大いに考えなければならない点であろう。そして、エール大学やシカゴ大学のロー・スクールのセミナーのうちに、「最高裁判所」と題するものがあったことも、私として、とくに意味深く感じたところであった。

(注一) 最近、矢沢惇「アメリカのロー・スクールにおける会計学教育」(企業会計九巻一号)が発表されている。

(注二) もっともフランク判事はその後、一九五七年逝去した。

(4)　アメリカのロー・スクールには必ず模擬法廷があり、模擬法廷を有しないロー・スクールはない。そして、ある者は模擬法廷の存在は、アメリカのロー・スクールの教育方法が実務的・実際的なことを示すものと主張する。従来司法研修所を訪ねて来たアメリカの法曹は、必ずそこに模擬法廷のないことを不思議に思うのである。

従来、わが国で、模擬裁判の名のもとに行われたものは、主として刑事事件であったであろう。そして弁護人の役を演ずるものの名口調・名弁護が称讃されるのであった。それはまだ裁判を知らない者に対して、法廷の有様を示すのに役立つとしても、法曹を志す者に対しては、みずからこれを演ずると傍聴するとを問わず、法廷における訴訟手続進行の順序を理解させるためならば格別、法廷における訴訟指揮や証人尋問技術の修得には、あまり役立ったものとは、いえないだろう。しかるに、アメリカのロー・スクールの模擬法廷は、訴訟指揮や証人尋問技術についての修業の場所なのである。

私がハーバードのロー・スクールで聞いたところでは、学生は、ほとんど全部が民事弁護士たることを希望していた。刑事専門の弁護士を希望するものには、ついに会わなかった。それに照応するのであろうか、私がそこの模擬法廷で、傍聴したのも民事事件であった。そこでは、学生が裁判長になり、原被告の訴訟代理人になり、また証人になり、他の学生は傍聴人となる。そして模擬法廷における証人尋問が、学生の研究の中心点となる。まず一方の訴訟代理人が証人に問を発し、その問が問題から逸脱したり、また誘導尋問であったりすると、相手方代理人が間髪をいれず、直ちに異議を提出する。裁判長が即座にこれを却下したり、認めたりする。私は、幾度か、アメリカの裁判所の法廷において、原被告の代理人の攻防のすさまじさ、そして裁判長のこれをさばく熟練さに感嘆したのであるが、それは、すでにロー・スクールの学生時代から、修業するところなのである。そして模擬法廷における仮設事件のためには、多大の努力が払われる。たとえば、交通事故に基づく損害賠償事件を取り上げようとすると、事故の現場をいろいろの位置から映画に撮り、これを証人となる学生にそれぞれ示しておき、これに基づいてその証人に証言させてゆくという念の入った方法をとるところもある。ミシガン大学のロー・スクールで会ったジョイナー教授（Joiner）は、この方面の開拓者であるといわれている。

そして右のような実際的の訓練は、法廷のさばきだけでなく、訴訟提起前の事件にも及んでいる。私の傍聴したうちには、次の如きものがあった。すなわち、相手の過失による自動車運転で被害を受けた者が、これを弁護士に相談するという仮設事件である。その弁護士が、訴訟提起前にあらかじめ証人となるべきもの——自動車事故を目撃したもの——を訪ねて、事情をきくところを実演する。訪ねてゆく弁護士も、尋ねられる人も、皆学生が行うのであって、これを教壇の上で実演し、教授や学生がこれを傍聴する。そしてそれが終った後で、教授と学生とが今行われた訊き方を批判する。問題点を全部聞き尽していたかどうか。いずれの点を、先に訊くべきであったか。ことに、訊き方が丁寧であったかどうか。将来、証人として法廷に出てもらわねばならないのに、訊き方が礼を失して相手方の感情を害しはしなかったか。これらの点は弁護士として、いずれも非常に大事なことに違いない。そして学生は、ロー・スクールで、すでにこれを学ぶのである。

いうまでもなく、訴訟は真実発見を目的とし、その成否は証人調の巧拙によることが大きい。終戦後、わが国は米法系の訴訟手続を多く移入したが、遺憾ながら、未だ充分に習熟していないのである。ここにおいて、司法修習生——広くいえば、法曹一般といえるかも知れない——が「クロス・エキザミネーション」「証人尋問」について、さらに研究しなければならないであろう。私はこの点では、ロー・スクールに学ぶところがあることを感ずる。

しかし、この点について注意すべきことは、このようなことが円滑に行われるためには、裁判長の訴訟指揮についての熟練と果断が必要なのはもちろんであるが、法廷の秩序が維持されていることを、当然の前提とする。法廷における証人尋問に当り、一方の訴訟代理人が異議を述べたのに対して裁判長がこれをいれなかったとき、その弁護士が不服で一々裁判長に噛みついたり、また忌避していたらどうなるだろうか。結局、「クロス・エキザミネーション」も、法廷の秩序の上にのみ行われうるのである。法廷の秩序の維持、裁判長の訴訟指揮のよく行われるところにのみ、「クロス・エキザミネーション」の実行も修習も、可能なのである。

(5) 叙上の諸点を見るとき、アメリカのロー・スクールの教授法は、きわめて実際的といえる。しかし、クロス・エキザミネーションの訓練などの行われるトライアル・プラクティス（trial practice）を除いては、一般的にいってアメリカのロー・スクールの教授法が実際的といいうるのは、わが国の大学の法学部の教授法に比較した場合であって、司法研修所との比較においては、必ずしもそのように断言できないのである。アメリカにおいて、ロー・スクールの教育に対して、その教授法が実際的でないとの批判が加えられているのは、きわめて注目に値する。現にアメリカン・バー・アッソシエーション・ジャーナルの論文のうちに、「ロー・スクールはとかく重点を理論的のことにおき、実際的の訓練を充分に行わない」旨の攻撃を見た。そしてかかる批判は、決して理由のないことではないと考えられる。

思うに、アメリカのロー・スクールの学生は、わが国の司法修習生のように、裁判所・検察庁および弁護士事務所において、実務修習を行わない。ロー・スクールは、その内部でその学生に対して、実務を学ばしめねばならない。そこで模擬法廷を是非とも必要とし、ここで実務的の訓練を行うのである。もっともアメリカでもロー・スクールの模擬法廷に裁判官が臨むことがある。私が、ちょうどハーバードにいたとき、エームズ・コンペティション（Ames Competition）――エームズはラングデルの教え子であり、ケース・メソッドの普及に努力した人である――という討論会の本年度の最終の決勝戦が行われたが、ほんものの裁判官三名が模擬法廷の壇上に並んでその審査を担当し、その裁判長はアメリカの連邦最高裁判所判事クラーク氏であったのである。しかし、これは一種の祭典であって、ロー・スクールの学生が、裁判官から直接指導を受けることはない。そして右のごとく、学生の行うところは、あくまで「模擬法廷」における「模擬」である。ここにおいて、アメリカではロー・スクールと実務との間に、「ギャップ」の存在することが指摘されている。法律の病院（legal hospital）の不存在がなげかれているのである。私が見聞した範囲では、医者のインターンシップのごときことを実施していたロー・スクールは、僅かにテキサス州のダラスにあるサザーン・メソディスト大学（Southern Methodist University）のロー・スクールのみであった。一体、アメリカの大学の夏休は、はなはだ長い。そこで、このロー・スクールは夏休中の十二週間をインターンシップに充て、学生はそのうち四週間は裁判所に行き、八週間は弁護士事務所につく。なお学生は裁判所につく期間のうち、検察庁の修習を行うこともあり、また弁護士事務所につく期間のうち、会社に行って会社の法律顧問について修習を行うことがあるという。しかし、このインターンシップは、強制されていない。夏休は貧しい学生にとって、労働して学資を得る時期であるからである。そしてここのやり方だけが、幾分か司法研修所における現地の実務修習に近いもののように思われる。このように考えてくると、司法研修所の修習方法はロー・スクールに比較して、一般的には実際的の方面の修習では劣るものではないといえるであろう。ただわが国で遅れているのは、訴訟指揮や証人尋問についての技術であり、この点についての修習をどうすべきかの問題がある。私は、これは現地の修習に委ねて、指導するをもって最も適当であると考える。司法修習生が現に指導を担当する裁判官・検察官または弁護士に伴われて法廷に臨み、その指導する裁判官・検察官または弁護士の行うところをつぶさに傍聴し、その後で、これについての説明をきくことができれば、得るところが、はなはだ大きいに違いない。さらにまた望みうるならば、司法修習生の修習地の裁判所・検察庁および弁護士会の三者があらかじめ協議の上、司法修習生のため現に進行中の特定の事件をとくに選定して、雛型として訴訟指揮を行い、または証人尋問を行ったら、傍聴する司法修習生は、教えられるところが大であろう。そして司法研修所の希望が容れられて、東京地裁では、これに類することが、現に行われているのである。

右の点に関連して、多くのロー・スクールにおいて、学生が法律扶助(legal aid)に関係していることを述べたい。これもアメリカのロー・スクールの特徴とされているところであるからである。もっとも、それは科目として課せられるところもあり、また学生活動として行われているところもある。私は、法律を学ぶ者に対して、「法律扶助」という仕事の意義を知らしめる必要を感じる。貧しいため弁護料をも支払うことができないもののために、その権利を擁護することが、法曹の責務であることを知らしむべきであるからである。それは正義心の涵養にも、役立つのである。しかし、アメリカのロー・スクールにおいてこれを重視するゆえんは、右の目的のほかに、これを通じて学生に生きた事件に接する機会を与えるためと臆測される。それは、臨床講義的の役割をしているのである。しかし、わが国では司法修習生は弁護士事務所に配属され、指導担当の弁護士を通じておのずから生きた事件に接するのであり、あえてその目的のため、「法律扶助」事務に従事せしめる必要はないのである。また修習中の司法修習生が、指導担当の弁護士を離れて、法律相談に応ずべきでないことは、当然である。アメリカでも法律扶助を意識的に学生に行わしめないものがあるのである。シカゴ大学のロー・スクールなどは、これに属する。

(6)「法曹倫理」をどのような方法で教えるべきであるか。これは、私としては従来非常なる関心を有した問題である。若い司法修習生に対して、声を大にして抽象的に法曹の責任使命を説いても、あまり効果は期待できない。さりとて、これは放任しておくべき問題でもない。アメリカでは、一九〇八年にアメリカン・バー・アッソシエーションが弁護士倫理規範（Code of Professional Ethics）を採用し、一九二四年には裁判官倫理規範（Canons of Judicial Ethics）が採用されている。そして多くの州のバー・アッソシエーションも、弁護士倫理の規範を定めている。しかし、アメリカのロー・スクールのうちでは、これを科目として教えるところもあり、また教えないところもある。エール大学のロー・スクールでは、リーガル・エシックス（Legal Ethics）と題して教え、コロンビア大学のロー・スクールではリーガル・プロフェッション（Legal Profession）と題して、この問題に論及している。しかし、科目としてこれを教えないロー・スクールは、その必要を感じないからでなく、そのための適当な方法を見出し得ないためだという。けだし、条文化された「規範」を教えることによって、ロー・スクールの学生が単にこの「規範」のみに違反しなければ、万事さしつかえないと考えるに至っては、かえって所期の目的に反することとなるからである。しかし、また法曹としてこの「規範」を熟知しないときは、善意で問題をひきおこすことがあるのである。このため、弁護士倫理を科目として教えるロー・スクールでは、あるいはローマ以来現代に至るまでの法曹の重責を沿革的・歴史的かつ社会的に述べ、あるいはカトリック大学のうちには、法哲学的に自然法との関係で、これを教えるものがあるようである。

右の点に関して、コロンビア大学のロー・スクールのチータム教授（Cheatham）は、この部門の権威であるが、私が訪問した折、わざわざニューヨーク市のバー・アッソシエーションの倫理委員会（Committee on Professional Ethics）に私を伴われたのであった。委員の数は約十五名で、一人は女弁護士、一人は神父たる法曹で、ロー・スクールの教授であった。この委員会の主たる職務は、「かくかくの行為は、弁護士としての倫理規範に違反するか否か」の質問に対して、答えることである。私の訪ねたとき、その委員会は次のような質問について、討議していた。それは、ある雑誌社が有名な事件を担当している弁護士に対して、その事件の経過および弁護士の経歴を書きたいから協力して欲しいと申込んで来たが、この記事に対する協力は、「弁護士は直接たると間接たるとを問わず広告すべからず」という規範第二七条に違反するか否かであった。この委員会の回答は、アメリカでも権威あるものとされている。

一体、法学教育が法実証主義に流れて、法と道徳との関係を切断してしまうことは、「法曹の倫理」から見て、決して望ましいことではない。しかるに、このたびの旅行で各所で法実証主義に対する批判を聞き、また自然法に対する関心をきいたのは、興味あるところであった。もっとも自然法については、必ずしも概念が一致しないにせよ、いずれの時でも、大きな変革期に際しては、個々的条文を越えて、遡って法の本質を考えさせるに至るものであって、ドイツでも終戦後、自然法の思想が擡頭している。そしてアメリカでもインディアナ州のサウス・ベントに位するノートルデーム大学のロー・スクールの自然法研究所（Natural Law Institute）は、最も有名なものであるが、ダラスのサザーン・メソディストのロー・スクールでさえ、自然法の研究が盛んに行われていた。私はそこで同大学刊行の自然法伝統の起源（Origins of the Natural Law Tradition）と自然法と自然権（Natural Law and Natural Rights）の二冊の寄贈を受けたが、この問題に関心ある数人の教授と午餐を共にして話し合ったとき、一人の教授がいった次の言葉は印象的だった。「アメリカの法学も、自然法を云々するほどに成長した」と。このようにして、おそらく哲学を欠くといわれたアメリカの法学にも、次第に哲学が生れるのであろう。

(7) アメリカは判例国であり、連邦ならびに各州の裁判所の判例は増大の一途をたどる。たとえ、便利な索引的のものがあるにしても、法律を学ぶもののこれについての苦心は、想像にあまりがある。

しかし、今やアメリカは単なる判例国ではない。もっとも民法典を有するのは、ルイジアナ州だけであるが、連邦や各州はおびただしい数の法律を年々制定してゆく。一九五二―三年度において、連邦および州の立法によって二万九千九百三十八件の制定法が作られている。そしてそれをいかにして理解してゆくか。これも、法学研究上の重い負担であろう。一九五〇年にミシガン大学のロー・スクールに設立された立法調査所（Legislative Research Center）は、この要求に基づくものであり、それは連邦の法律を除き、各州の法律のうち、私法を対象として研究をすすめている。これを担当する教授は、私にいった。「ロー・スクールの学生は、判例は知るが、制定法を知らぬが欠点である」と。このようにして、ロー・スクールの学生は、やがて判例以外に、制定法までも研究することが要求されるようになるのであろう。法曹の道はいずこも、坦々たるものでないのである。

叙上に関連して、アメリカの州の立法について若干触れるならば、州内通商については各州が立法権を持っているので、会社法などは、各州がそれぞれ制定するのである。終戦後、わが国の会社法改正に当りもっとも参酌されたのは、イリノイ州の会社法（Illinois Business Corporation Act）であり、これについでニューヨーク州およびカリフォルニア州の会社法が参酌されたのであった。しかし、各州の法律が異なることはきわめて不便なので、州法統一委員会（National Conference on Uniform State Laws）が設けられ、統一州法の案を起草し、各州がこれを模範法として採用することが試みられている。今これらの点には、立入らない。

(8)　右に一瞥したところによって、明かであるように、アメリカのロー・スクールは、なすべきことがあまりにも多い。したがって、その最大の悩みは、科目がとかく多くなり過ぎることであり、ロー・スクールの三年の年限では、充分これを消化できないことである。

思うに、社会の発展とともに、常に新しい法律の分野が展開されるのは当然であって、これに即応するために、ロー・スクールでは新しい科目が必要となってくる。わが国と同様に、アメリカでも、行政法・税法・労働法などは、新しく登場した重要科目である。さらに、会社法は新しい意味で重要性を増し、証券取引に対する規制も、またしかりである。ロー・スクールが、近時会計学を重視しつつあることは、すでに述べたとおりである。そしてこのような科目の増加に対処するため、多くのロー・スクールは、第一年と第二年で基本的の科目を必修的に課し、第三年では多くの科目を選択的のものとする。このことは、私がハーバードのロー・スクールの科目について、述べたとおりである。そして選択科目の多くなることは、おのずから学生をして法律科目のうちから、自己の専攻しようとするものを選択せしめることとなり、法律の各部門の専門家を養成する傾向を助成することとなるのである。しかし、科目の増大をもたらしたのは、右のほかにも、原因がある。すなわち、その一つはロー・スクールが固有の法学教育以外のもの、たとえば経済や社会学や法哲学などについて、時間を割くに至ったことと、他の一つはロー・スクールで実務的の事項、ことに法廷における尋問技術・訴状その他の法律的文書の作成についての修習が一段と要求され、さらに学生を法律扶助の仕事にも関係させ、そのため時間を必要とするためである。このようにして、三年間のロー・スクールは、ますます時間的不足を覚えて来る。これをどうして打開すべきかが、ロー・スクールの当面している大問題なのである。そしてすでに一部のロー・スクールでは、大学二年課程修了の者を入学せしめて、その年限を四年とするものすら生じている。司法研修所としても、司法修習生は学ばなければならないことが多いのに、きわめて時間が不足しているのであって、アメリカのこの問題は、決して対岸の火災といっていられないのである。

三　次に、アメリカのロー・スクールの教授について、若干述べたい。まずその専門範囲を見ると、それはわが国の学者に比してかなり広いのではないかと考えられる。もっとも日本でも民法学者が、民法総則から親族・相続編までの講義を担当するとき、アメリカ式の講義科目からすれば、プロパティー、コントラクト、トート、ドメスティック・リレーション、その他多くのものを包含することとなり、わが国の民法学者の間口は狭いといえないのかも知れない。しかし、アメリカの教授の担当するところは、広範囲に及ぶ。たとえば、先に述べたケーバース教授は、現に、「法学教育」を担当しているが、過去においてその担当した科目を見ると、あまりに広い範囲にわたるのに驚く。すなわち、憲法・行政法・刑法・公共企業法・衡平法・売買契約法・動産法・不動産譲渡法・遺言法・流通証券法・国際私法・法学入門・その他に及んでいる。これは、なぜであろうか。一体に法律実務家は特殊の専門を持たず、間口の広いことを特徴とするものであるが、アメリカの教授は実務家出身であるから、間口が広いのであろうか。あるいは、教授方法がケース・メソッドであって、教授は単に講義するのではなくて、教室でケースに関連する一切の法律問題にも触れなければならないので、間口ものずから広くなるのであろうか。これに比較して、わが国の法学者の多くは、なぜ間口が狭いのであろうか。もっとも、わが国の法学教育は、従来主としてドイツ的に行われたのであるが、日本の法学者はドイツの法学者に比しても、なお専門範囲は狭いと感ぜられる。ヨセフ・コーラー（Joseph Kohler）のごとく、民法・刑法・民事訴訟法・破産法・商標法・特許法・法哲学などの各分野に研究を広めたものは格別としても、日本で商法学者として有名なミュラー・エルツバッハ（Müller-Erzbach）なども、私がミュンヘン大学を訪ねたとき、身分法の講義を担当していた。その他これに類する例は、枚挙に暇がない。わが国の学者の専門範囲の狭小は、あるいは語学との関係があるのであろうか。

四　ドイツの大学の教授は――私の知る限りでは――英・仏語を読むことのできることはいうまでもなく、ラテン語の読めることも、当然であった。私は渡米前、アメリカのロー・スクールの教授に対しても、同様の期待を持っていたが、予期に反して、その教授のうちには、外国語に通じない者が少くないようである。これは、私として驚いたところであるが、その原因はアメリカにおける法学研究が英語のみで間に合うためであろうか。アメリカのロー・スクールには、多くはローマ法の講義もない。したがって、ラテン語なども不用なのであろう。もっともルイジアナ州は、アメリカで民法典を有する唯一の州であり、フランス法系の立法（スペイン法系も入っているという）のため、フランス民法の研究が行われ、プラニオル（Planiol）の民法教科書の訳が試みられていた。（二）バトン・ルージュやニューオリンズのロー・スクールの教授連も、多くはフランス語に親しむように見えたのであった。

アメリカのロー・スクールの教授が、あまり外国語に親しまないことに関連して、興味深いことは、相当数のドイツ系の学者がロー・スクールの教授になっていることである。そのうちに、比較法を担当している人が多いことも、英語以外の外国語に堪能なためであろう。彼らのうちには、ドイツの権威的な本を英訳している人も少なくないという。私は、シカゴ大学のロー・スクールのラインシュタイン教授（Rheinstein）から、マックス・ウェーバーの Wirtschaft und Gesellschaft の英訳本を贈られたが、これもその一例であろう。そして、このようなドイツ系の学者のうちには、ナチスに追われてアメリカに渡ったものが少くない。この点では、他の分野におけると同様、結果的にはナチスはアメリカの学問に貢献したこととなったのである。最も感慨に堪えなかったのは、かつてベルリンで会ったヌスバウム教授（Nussbaum）に、コロンビア大学で二十数年振りに再会したことである。ただ老齢で耳も遠く、すでに昔の精悍なところを失っていられた。その他、私はこのたびの旅行で、各地で、ドイツ系の学者に会うことができたのは、渡米前、まったく予期しなかったことである。私は、アメリカの地にドイツ系の人と語り合い、国境や国籍を越えて、学問という紐帯によって結ばれるものの喜びを、しみじみ味わったのである。

私は、アメリカでまず最初に訪ねたロー・スクールと最後に訪ねたロー・スクールについて、この感想を述べたい。私はアメリカで最初に訪ねたのは、ワシントン（正確にはワシントンDC）のジョージ・タウン大学のロー・スクールであったが、私はそこでまったく偶然に、クローンシュタイン教授（Kronstein）に邂逅した。彼は、本来ドイツの学者であって、従属法人論（Die abhängige juristische Person）を著し、それは企業集中における従属法人を論じたものとして、きわめて注目すべきものである。私が最後に訪ねたのは、サンフランシスコの対岸バークレーにあるカリフォルニア大学であるが、そこのロー・スクールで、偶然にリーゼンフェルト教授（Riesenfeld）に会った。彼もドイツの学者であって、相互保険会社の法的性質について、深化した研究を行った人である。彼は相互保険会社の社員について論及したとき、私が若いときにゴールトシュミットの商法雑誌に寄稿した論文 Kollektivismus und Individualismus im Aktienrecht (ZHR. Bd. 96, S. 239 ff.)（二）に論及している学者であっただけに、一見旧知の感をいだいた。そして、これらドイツ系の学者のアメリカの法学教育に対する批判には、興味あるものが少くない。たとえば、アメリカのロー・スクールの多くの教授のうち、はたしてドイツや日本の大学の教授に比すべきものが、幾人あるだろうかとの批判のごときは、アメリカの教授にドイツ的の学者を期待する考え方であろう。（三）しかも、このような批判を行うドイツ系の学者をも、迎えてこれを教授とするところに、アメリカのアメリカたるゆえんがあり、そこに底知れぬ包容力がうかがえるのである。

なおアメリカが中南米との取引関係が密接であるため、スペイン法系の研究の盛んなことは、私がこのたびの旅行ではじめて知ったところであった。そしてダラスのサザーン・メソディストのロー・

スクールには、アルゼンチン人が教授として迎えられていて、米法とスペイン法系との比較法を担当していた。

（注一） この飜訳は一九五九年に完成し、Planiol, Civil Law Treatise と題されている。この点につき Dainow のこの本の紹介 (Louisiana Law Review, Vol. XX) 参照。

（注二） この私の論文は、拙著株式会社法研究に収めた。

（注三） これはカリフォルニア大学のロー・スクールのエーレンツワイグ教授 (Ehrenzweig) の言である。その後、同教授は、来朝の際、司法研修所で「岐路に立つ日本の民事訴訟」と題する興味ある講演をされた（司法研修所報一八号参照）。

五　アメリカのロー・スクールを見て、もっとも羨望に堪えなかったのは、充実した図書館である。ハーバードのロー・スクールを最たるものとし、エール、コロンビアその他のロー・スクールは、いずれもそうであった。この点について、私は司法研修所の図書室の充実を実現せしめたく思うものである。次にロー・スクールは多く完備した寄宿舎を持っている。若い学生が起居を共にして、法曹の使命を語り互に切磋しつつ、法律実務の研究にいそしむことは、教育上多大の効果があろう。私はこの点で、司法研修所の白山の寮の充実を念願するものである。

六　アメリカのロー・スクールには州立と私立があるが、私立にすぐれたものが多い。ハーバードやエールやデュークやスタンフォードなどは、いずれも私立である。そしてこれらの大学はいずれもその恩人——主として経済的の援助者——の名をとって、その大学の名としたのである。アメリカでは巨万の富をなしたものが、その財産を惜し気なく公共の事業に投ずることはしばしば聞くところであるが、大学に対しても同様のことが行われている。右の大学のうちスタンフォード大学は、サンフランシスコから自動車で約一時間ほどのパロ・アルトにあって、美しいキャンパスとスペイン風の美しい建物とによって、早くからわが国にも知られているが、これは鉄道会社の社長としてまたカリフォルニア州の知事として、ことにカリフォルニア州の農業発展に寄与した人として有名なスタンフォードが、その夭折した子供の記念のため設立した大学なのである。わが国の藤原銀次郎氏は、かつてこのスタンフォード大学を訪ねた折、その大学設立の由来を聞いて、多大の感激を覚えたという。そして彼が藤原工業大学設立のため、その私財を提供したのは、その結果であったのである。しかし、大学に対する寄付は私立大学のみに限らない。デトロイトからほど遠からぬアンナバーにあるミシガン大学は州立であるが、そこのロー・スクールの驚くべき豪壮な建物は、そこの卒業生たる弁護士クックの寄付したものである。クックとは、アメリカ会社法の有数の専門家として、われわれが早くからその著書（たとえば Cook, The Principles of Corporation Law (1925)）に親しんでいた人である。

七　私は、アメリカで黒人のロー・スクールを参観したことがある。ついでに、これについて、若干触れたい。

アメリカにおける黒人問題の重要性については、今私がここで述べるまでもないが、南部諸州における白人の黒人に対する差別待遇は、聞きしにまさるものがある。電車やバスの坐席を異にし、待合室を異にする。驚いたのは、ダラスの裁判所において、裁判所は法の下に各人を平等に取り扱うべきところであるにかかわらず、水呑み場所も白人と黒人とで別なのである。そして私がノース・カロライナ州に行ったとき、ダーラムにあるデューク大学のロー・スクールにも、またそこからほど遠からぬチャペル・ヒルにある、ノース・カロライナ大学のロー・スクールにも、黒人の学生はほとんどいなかった。否、私がちょうどチャペル・ヒルに行った折、黒人がノース・カロライナ大学の入学を拒まれた記事が、新聞に大きく取り上げられていたのであった。

しかし、ダーラムには、黒人のためのノース・カロライナ・カレッジという州立の大学があって、それは、黒人のためのみのロー・スクールである。教官十名をはじめとして、相当数の事務系統の人がいたし、教室は清新の感があり、図書室は整備されていて、われわれとして、司法研修所もかくありたいと思ったほどである。しかるに、学生は、一年から三年まで通して僅かに合計十五名。いいかえれば、この十五名のために、州は莫大な金を支出しているのである。このロー・スクールは、一九三九年に開設されたが、その当時は学生になるものがないので一時閉鎖されたこともあり、翌一九四〇年再開されて、今日に及んでいる。私は、アメリカの最高裁判所が最近まで公立学校について separate but equal の主義を採用していたことを思い出した。それは、黒人に対して白人と同様な実質的平等の施設が与えられているならば、たとえその施設が分離されていても、平等的の待遇が与えられていると主張する主義である。この黒人のロー・スクールは、まさにこの原則に従ったものといえよう。それは、白人から「分離」されたものであるが、実質的には「平等」のものといえるからである。このように黒人を分離しながら、これに対する平等の待遇のため巨額の金を支出し来ったところに、アメリカの黒人に対する現実の悩みと平等に対する尊重の念との交錯を、見るのである。

八 三年のロー・スクールの終りには、卒業式 (commencement) がある。アメリカの大学の授業は九月にはじまり、五月中に終るので、卒業式は多くは五月末か六月初旬に行われる。もっともロー・スクールだけの独立した卒業式があるのでなく、大学の卒業式のうちに含まれているのである。

私は、このたびアメリカで、二度卒業式に際会した。一度はルイジアナ州の首都バトン・ルージュ (Baton Rouge) のルイジアナ大学においてである。私としてあらかじめ同大学訪問の意を告げておいたところ、とくに卒業式への参列を勧められ、幸にこれに列し得たのである。

ルイジアナの六月は酷暑のためか、卒業式は午後日盛り過ぎてから開始された。式場はわが国の旧国技館のような建物であって、内部の周囲には桟敷の如き席があり、ここに卒業すべき学生の親や兄弟がつめかけている。建物の中央の広場には本年度の卒業生千二百人が列をなしながら、静々と吸込まれる如く入ってゆく。その広場の一隅に壇が設けられて、そこに大学の総長、各科やロー・スクールの学長のほか、州知事などが居並ぶ。私も、その末席を汚した。列する者は、すべてアカデミック・ローブを着用する。ちょうど大隈重信侯の銅像に見るような、房のついた四角の帽子を戴き、ガウンを着ける。

まず開会の辞があり、つづいて国歌を斉唱し一同脱帽する。私は何となく、かつてのわが国の雰囲気を思い出した。ついで聖職者の祈禱があり、次に州知事の演説、大学総長の式辞がある。総長が卒業生に対して州の恩と教官の恩と親の恩とに対して感謝すべきことを述べ、卒業生の責任を説いた。私は、再びかつてのわが国の雰囲気を思い出した。ついで、総長が千二百人の卒業者および学位受領者に対して、一々握手して簡単ながら言葉を交しつつ、免状を渡すのである。これはきわめて印象的であった。卒業式はこのために時間をとられる。これが終ると校歌の合唱あり、聖職者の祈があり、次で閉会の辞となった。私は、その後ダラスのサザーン・メソディスト大学の卒業式にも列したが、右とほぼ同様であった。アメリカにおける卒業式は、大学の最大の祭典なのである。

私が大学を卒業した大正の末の頃は、形式を極度に排斥する思想のためか、卒業式すらなかったのである。かえって私はアメリカに来て、卒業式らしい卒業式に、はじめて際会したともいいうるのである。

三　バーの試験（バー・エキザミネーション）、バー・アッソシエーションとロー・ファーム

一　アメリカのロー・スクールは職業学校であり、その学生は、すべてローヤーを志望するものであるが、卒業するとそこにバーの試験がひかえている。これに及第するのでなければ、ローヤーになれないのである。したがって、この試験は、ロー・スクール学生にとって、最大の関心事となる。

しかもバーの試験は、各州によってそれぞれ行われていて、その州の法律または裁判所の規則によりそれに関する規定が定められているが、州によって試験の方法・内容がまちまちであることは、現に一つの大きな問題になっているのである。そればかりでなく、バーの試験が、ロー・スクール教育と充分の連絡を保つべきであるにかかわらず、必ずしもそれが保たれていないといわれるのであって、学生はバーの試験の試験準備のために貴重なロー・スクールの勉強を犠牲にしたり、またロー・スクール側もまた授業計画を立てる上において、不都合を感ずる点があるとされている。現にハーバード、エール、コロンビアその他のいわゆるナショナル・ロー・スクールは、その所在地の州法よりも米法全体の見地から教えているのに、各州はその州の法律知識を基準としてバーの試験を行うので、ナショナル・ロー・スクールの学生は、受験のためとくにその州法の勉強を必要とする。これに反して、地方的のロー・スクールの方がその州法を中心に教えるので、バーの試験には好都合であるらしい。私は、ニューヨークに滞在中あまり名の知られていない一つのロー・スクール――ブルックリン・ロー・スクール――を訪ねたが、これは後者の一例といいえよう。そこでは、ニューヨーク州の法を中心に教えていて、バーの試験の合格率も高いのである。もっとも叙上に反して、若干の州では、バーの試験にその州の法に関係のない問題を出すように努め、また若干の州では受験者がその州の法を知らなくとも、推論の正しい答案には点を与えているといわれる。

試験の方法としては、主として筆記により、口述試験を行うところは少い。試験科目は州によって異なるが、憲法・刑法・契約法・代理・不動産法・動産法・不法行為法・家庭関係法・衡平法・株式会社法・パートナーシップ・流通証券法・証拠法・プリーディングなどは、州の全部または多くのものによって試験科目とされている。その他遺言法・弁護士倫理を加えているものも多い。また新しく税法・行政法を試験科目に加える州も生じている。試験問題は主として、その州または近接の州の控訴審の記録から選び出されている。

試験の回数は、年二回行う州が最も多いが、年三回行うものと一回行うものもある。合格率は、そのときそのときで異なる。たとえば、六月と十二月の二回に試験を行うところでは、アメリカのロー・スクールの卒業期は、五月末か六月初旬なので、六月のバーの試験には、新進の卒業生が多く受けるから合格率がよく、十二月の試験はまえのときの落第者が受験するから、合格率は低いらしい。私がマサチューセッツ州のバーの試験の試験官に会ったとき、次のようなあわれな物語を聞いたことがある。すなわち、この試験を約三十年来受けたのに、まだ合格しない者がいて、最初受験したときは紅顔の青年だったのに、今はすでに白髪の老人になっているという。受験の苦悩は、洋の東西を問わないようである。しかし、アメリカ全体としては、その合格率はほぼ五十パーセントだという。これは、わが国の司法試験の合格率に比すれば、易々たるものといえよう。ただわが国では、幾度でも司法試験を受けることができるのに、アメリカの州の約半数が受験回数を制限していることは、注目に値する。たとえば受験を二回限りとし、三回限りとし、四回限りとし、五回限りとしているのである。

また一度この試験に落第すると再度受験するまで、一年間待つというような制限を付する州もある。なお、ほとんどの州はこの受験に対してアメリカ合衆国の市民たることを要求し、また年齢については二十一歳以上であることを求めている。

アメリカで法曹となるには、バーの試験に合格するほか、キャラクター（character）の調査を通過しなければならない。法曹となるには、グッド・キャラクターの持主であることが必要とされるのである。この点の欠格を理由として、法曹たる資格を与えられないことは少いが、キャラクターに必要な要件について、各州はそれぞれの定めをしている。たとえば、ニューヨーク州ではこの点の調査は、バーの試験に通過した後に行われ、受験者は彼の経歴・学歴にわたっての調査表に宣誓して該当事項を記入し、かつ彼がアメリカの政治組織に忠実であり、これを信じかつ支持することを述べなければならない。そして、受験者は大学およびロー・スクールの課程を滞りなく終えたことの証明書を提出し、かつ彼を今まで使ったことのあるすべての雇主、弁護士および彼をよく知悉する人から、彼のキャラクターについての宣誓口述書（affidavit）をも提出することを必要とする。さらに出生証明書・不正の行状のないことの警察の証明書などが、必要である。そして充分調査の行われた後、受験者は委員会に出頭して口頭試験を受け、そこでその者の環境、アメリカに対する忠誠および法曹の倫理規範の理解について、口頭で質問されるのである。

なお私はボストンでマサチューセッツ州のバーの試験の試験官に会って、その州の実情を聞いたことがあるが、受験者が窃盗・詐欺・偽証などの犯罪を犯しているときは、グッド・キャラクターを欠くものとしてローヤーになれないとのことであった。

二　アメリカでは、バーの試験に合格したものがすべて弁護士となるのでなく、そのうち連邦または州に職を奉じ、また企業に勤めるものが少くない。既に述べたようにローヤーの資格を有しながら、連邦・州または地方団体に勤めるもの約二万一千人、私的企業に勤めるもの約一万六千人といわれる。私はニューヨーク大学のヴァンダービルト・ホール（Vanderbilt Hall）のカクテール・パーティーで会ったある法曹は、テキサスの石油会社に勤めている人であったが、この会社には、七十人の弁護士が雇われているとのことであった。そして、このような者のうちから、法律事務を担当するよりも、会社経営に当るものも生れるのである。アメリカの会社主脳部には、ローヤーが少くない。そしてアメリカで法曹は各方面に広く活躍しているが、それは従来わが国で非難された法科万能と趣を異にするものと考えられる。アメリカの法曹は一般大学卒業生に比し、さらに三年のロー・スクールの課程を経、さらに、バーの試験を通過したものであるからである。いわば「年季」がはいっている者である。私は、司法研修所の出身者が、やがて広く各方面に活躍するに至ることを期待して止まないものである。

三　すでに述べたように、アメリカのロー・スクールの授業は、必ずしも実際的でなく、法曹の道に志す者はバーの試験に合格後、さらに実務の修業を必要とする。この点について注意すべきことは、アメリカでは、弁護士の数がきわめて多いことである。それは、必然に弁護士間に激烈な競争をひきおこし、そのことは一面において、「弁護士倫理」の必要を生じ、他面において、弁護士に絶えざる研究を必要ならしめる。アメリカで、既成弁護士の研修が、盛んなことは、ゆえなしとしない。これはロー・スクールの法学教育の延長ともいうべきもので、きわめて注目すべきものである。もっともアメリカでは、夜間教育や夏期講座が一般的に盛んに行われているが、既成弁護士の研修は簡単にこれと同一視し得ないものである。

わが国では裁判官に対しては、司法研修所で研修が行われ、検事に対しては、法務総合研究所で研修が行われる。しかし、弁護士に対しては、終戦後弁護士会で一度研修が行われたことがあったが、特に研修に対する制度はなく、その必要は、われわれとして望んだところであったのである。(一)しかるに、アメリカでは各地でその土地のバー・アッソシエーションやロー・スクールが中心となって、短期間ではあるが、弁護士実務に必要な新知識や技術について研修をしている。最も注目すべきことは、弁護士の研修を専門的に行っている民間のインスティテュートがあることであって、その代表的なものの一つとして、ニューヨークのプラクティシング・ロー・インスティテュート (Practicing Law Institute) を挙げることができる。私は、そこを訪ねて、その設立者セリグソン氏 (Seligson) から、その活動を聞いたのであった。講師は多く実務家であり、研修はいずれも実務中心である。そこでは、各種の研修があるが、土曜日一日に行われるものがある (Saturday forum)。アメリカでは土曜日が休日なので、朝から夕にわたって、このような研修を行うのに適しているのである。たとえば、新しい税法、会社の税の対策、独禁法の研究、損害賠償事件における法廷の技術という如き問題についてである。七百人も集まることがあるという。そのほか、週日の夜二時間ずつ数回にわたって、連続して行う講座もある。また夏休を利用して行うものもある。そのほか、ここは通信教育も行っておるし、きわめて要領のよい実務に役立つモノグラフィーを多数出版している。

なおアメリカでは、裁判官と違って、若い者がバーの試験合格後遠からずして検事に任命されることもあるので、検事の研修が必要とされ、このインスティテュートもこれを行っている。シカゴのノース・ウェスタン大学のロー・スクール——ここはウィグモアが学長であったところである——でも検事の研修を行っていた。

アメリカに裁判官の研修があるか。私の聞いた範囲では、このようなものはないらしい。(二) そして、ジェローム・フランク判事に会ったとき、同判事は裁判官の研修の必要を主張していたのであった。彼によれば、優秀な弁護士であっても、裁判官になったとき必ずしも優秀な裁判官でないから、その必要があるというのである。

(注一) 日本弁護士連合会は、昭和三十三年および三十四年の八月に各六日間に亘って全国弁護士の有志を東京に集めて研修を行った。これはわれわれの従来の要望にこたえるものとして注目すべきであるが、それは若い弁護士に対する研修制度とは縁遠いものである。

（注二） もっとも最近アメリカでも裁判官の研修ともいうべきものが行われるに至った。この点につき、Leflar, The Appellate Judges Seminar at New York University (Journal of Legal Education, Vol. 9 (1957) No. 3), さらに 1959 Institute for California Judges—Panel Discussion, Part I : Preliminary Matters and Trial Proceedings (California Law Review, Vol. 47 (1959) No. 4).

四　アメリカにおける法曹の実務修業の場として、ロー・ファーム(law firm)の存在は看過できない。アメリカの法律家養成の跡を顧みるとき、ハーバードにおけるストーリーの貢献（一）、コロンビアにおけるケントの業績（二）や、さらに一八七〇年にラングデルがケース・メソッドを考案したことを思うとき、ロー・スクールの演じた役割は実に大きいが、しかし、現在におけるようなロー・スクールによる養成方法の急速の発展は、ことに過去三十年間のことであり、一九〇〇年ごろには、まだ弁護士事務所における徒弟式の修業が法律家養成の通常の方法だったとさえいわれている。そして現在でも、バーの試験に合格した若いローヤーが、ロー・ファームに雇われて、ここで生きた事件を取り扱いつつ法律実務の訓練を受けていることは、看過できないのである。換言すれば、ロー・ファームは、若いローヤーの研修の場所なのである。

私は、アメリカでしばしば弁護士事務所を訪ねたが、彼の地のロー・ファームのようなものは、おそらくわが国には存在しないものであろう。私は、各地で二十人または三十人から成るロー・ファームを見たが、私の見た最大のものは、ワシントンのコビントン・エンド・バーリング (Covington &

Burling）というロー・ファームであった。私は、同所にホースキイ氏（Horsky）を訪ね、同氏からその組織を説明されたのであった。私は、ロー・ファームの結合形式について、他種のものがあるか否か知らないが、このロー・ファームについて若干のべたい。ちなみに、同氏はワシントンの法曹（Washington Lawyer）の著者であり、私はネーサンソン教授――シカゴのノースウェスタン大学のロー・スクールの行政法担当の教授で、東大で講師として行政法を教えていた――から紹介されたのであった。

右のロー・ファームは合計七十五人の弁護士を擁し、そのうち二十五人がパートナーであり、爾余の五十人は月給でこの事務所に雇われており、その他の事務員を合すると百数十名から成る大世帯である。ここでは、特許法関係以外の事件は何んでも取り扱い、各弁護士の担当は専門化していた。そして仕事の配分はパートナーが合意で決めてゆく。一体、ロー・ファームには、経営を担当するパートナー（managing partner）があるものと、しからざるものとがあるとのことであるが、ここにはこのような者はいない。そしてパートナーは、パートナーシップの契約によって結ばれており、俸給は固定的にもらうのではないが、前年度の利益を基準として毎月一定の額を受け取り、それ以上の利益は年度末に分配される。パートナーは、決して単に事務所だけを共同にするところの、独立の弁護士の集合体ではない。そしてパートナーの室の設備・机・椅子に至るまで一切の費用は、ロー・ファーム自体の経費から支出される。

なぜ、このような多数の弁護士が結合しているのであろうか。思うに、各種の部門を専攻している法曹が結合するとき、各種の事件を専門的に分担しうる長所があって、依頼者の信用も高まるであろうが、アメリカの弁護士は驚くべきほど多くの法律書、ことに各州の判例集や遡ってはイギリスの判例集までも有しなければならないことが、ロー・ファームの成立をもたらした一因であろう。大きいロー・ファームはいずれも図書室、否、図書館にも匹敵するほどの蔵書を持つものである。そして若いロー・スクール出身のローヤーは、このようなロー・ファームで先輩の弁護士に指導され、図書室を利用しつつ、各種事件の手伝いをしながら、法律実務に習熟してゆく。右のロー・ファームでは、そこにいた若いローヤーのうち大学の教授となった人もあり、州知事となった人もあったという。長く勤めると、やがてパートナーになる者もあるのである。

私は、わが国でも若い弁護士育成のため、アメリカのようなロー・ファームができることを希望するものである。しかし、わが国では法律家が数十人も集まって、パートナーシップという契約関係で結ばれていながら、これを長く維持することが可能なのであろうか。日本の法曹はあまりにも、自己の存在を主張し過ぎるのであろうか。私は、このような疑念をいだいたのである。ローヤーが相互に契約関係を遵守するところにこそ、ロー・ファームの存在が可能なのであろう(三)。

さらに私はシカゴで、ある有名なロー・ファームを訪ねたが、弁護士三十五人のうちパートナーは二十一名で事務員は四十五名の大世帯だった。そこでは、刑事事件や特許法事件は取り扱っていなか

った。株式会社の顧問的仕事が多く、会社の社印や総会の議事録が保管されていたのが注目された。(四)

(注一) ストーリー (Story) (一七七九—一八四五) は、アメリカ最高裁判事として、またハーバード大学のロー・スクール教授として令名あり、法の各部門で多くの研究を残し、アメリカの法学の発展に多大の貢献をした。

(注二) ケント (Kent) (一七六三—一八四七) はニューヨーク州の Supreme Court の判事として、またコロンビア大学教授として令名あり。ブラックストーンの Commentaries on the Laws of England にならって Commentaries on American Law を著した。

(注三) わが国には、アメリカのロー・ファームのごとく複数の弁護士が対等に契約をもって結合し、その利潤を一定比率によって分配するものは、ほとんど存在しない。すなわち、わが国で複数の弁護士が同一の事務所にいるのは、その事務所の経営者たる一人の弁護士の下に、他の弁護士が働いている場合であって、この経営者たる弁護士の個人的名声と手腕とが、その弁護士事務所の生命なのである。なお複数の弁護士が各自事務所を持つための経費を省くために、共同に事務所を使用している場合があるが、これは共同的の外観にもかかわらず、独立した弁護士の単なる集りに過ぎない。

(注四) ロー・ファームにつき、アメリカにおける交互尋問 (ジュリスト二〇六号五七頁) 参照。

五 次に私は、アメリカのバー・アッソシエーションに触れたい。

(1) 私はシカゴでアメリカン・バー・アッソシエーションの本部を訪ねたほか、各地でしばしばバー・アッソシエーションを訪ね、多くのローヤーに会った。アメリカン・バー・アッソシエーションは、アメリカの法学教育に対しても、多大の貢献をしているのである。(一)

私がちょうどノース・カロライナ州のダーラムに行った折、アメリカン・バー・アッソシエーションの会長ライト氏 (Loyd Wright) が同地に来り、同地のバー・アッソシエーションが同氏のため歓迎の宴を設け、私も、またこの席に列することができたのであった。この席には、主賓ライト氏のほか集まるものは、ノース・カロライナ州の最高裁判所の裁判官――東京裁判のときの検事ヒギンス氏(Higgins)もその一人であった――デューク大学およびノース・カロライナ大学の各ロー・スクールの学長をはじめとして多数の弁護士であり、そこでは裁判官、検察官、教授、弁護士が文字通り融け合って、なごやかにこころよく談笑していた。それは、私としてまことに羨ましい限りであった。わが国では、とかくバー・アッソシエーションを弁護士会と訳しているが、それは必ずしも適訳ではないのであって、このようなすべての法曹人を含む結合なのである。わが国に再三来朝したストーレー氏などは、サザーン・メソディスト大学のロー・スクールの教授であり、学長であるが、その間アメリカン・バー・アッソシエーションの会長であったこともあるのである。このような事例を見るとき、私はわが国にも早くこのようなバー・アッソシエーションの生れることを熱望せざるを得なかった。

(2) わが国で弁護士事務を行うには、必ず弁護士会の会員とならなければならない。弁護士会への入会拒絶は、弁護士たることの拒否を意味する。そして弁護士会について多く知るところのない私は、終戦後新憲法の下で新たに制定された弁護士法(昭二四法律二〇五号)の規定から考えて、かかる制度はアメリカにならったものかと想像していた。しかし、必ずしも、そうでないことを、このたびの旅行で知ったのである。私は、この点についての日米の差について、若干のべたい。

(イ) アメリカの州のバー・アッソシエーションの組織のうち、その州のすべてのローヤーを当然に包含する制度（すなわちintegratedのもの）としからざるものとがある。前者は一九二〇年ノース・デコタ州に始まったもので、現在アメリカの州の約半数がこの制度を採用しているが、東部の諸州は多くこれを採用していない。ニューヨーク州なども、そうである。そしてシカゴのある州、すなわちイリノイ州も同様であり、同州は、全法曹約一万六千人のうち、州のバー・アッソシエーションのメンバーであるものは約九千人であるとのことであった。すなわち、このような州では、州のバー・アッソシエーションに加入するか否かは、各法曹の自由に委ねられており、強制加入ではない。そればかりでなく、叙上のことは、州のバー・アッソシエーションの問題であり、郡や市やその他のバー・アッソシエーションには、このような問題はない。すなわち、それへの加入は、全く各人の自由である。

もっとも私は、裁判官・検察官・弁護士およびロー・スクールの教授などの一切のローヤーを当然に包含する制度（integratedのもの）を高く評価するものであるが、わが国では、何故に裁判官、検察官や大学教授を含まないで、弁護士のみを強制加入せしめる団体をつくったのであろうか。また、わが国の弁護士は自主独立性が強く、しかも終戦後の極度に自由が主張された時代に制定された新弁護士法が、何故に弁護士会への加入を強制的のものとしたのであろうか。それは、弁護士を結合して在朝の法曹に対抗する必要のためであったのだろうか。何故に弁護士会に加入しないでも、弁護士事務を行うことのできる制度を採用しなかったのであろうか。私は、そこに将来考えるべき問題があるように思われる。

(ロ) 次に、アメリカン・バー・アッソシエーションはわが国の日本弁護士連合会と異なり、アメリカの全ローヤーを当然そのメンバーとするものではない。先に私がノース・カロライナ州のダーラムでアメリカン・バー・アッソシエーションの会長ライト氏に会ったことを述べたが、同氏の同地訪問は、いわばそのメンバーの拡充が一つの大きな目的であったのである。彼は先の会合の席上で、ノース・カロライナ州のローヤーのうち、僅かに二十二パーセントのみがアメリカン・バー・アッソシエーションのメンバーに過ぎないことを嘆じ、いわば、その「党勢拡張」の必要を強く訴えていたからである。要するに、アメリカン・バー・アッソシエーションは、過去において多くの貢献をなしているが、アメリカの全ローヤーを含む団体ではない。私はこの点でも、終戦後わが弁護士法の制定に当り、何故に日本の弁護士連合会がわが国のすべての弁護士を当然に包含する制度として誕生したのかをいぶかったのであった。日本弁護士連合会が、自由加入の団体となり、しかも多数人がこれに加入するとき、在野法曹の意思を代表するものとなるのではないだろうか。

(ハ) アメリカで、ローヤーに対する懲戒の権限は、裁判所のみが有している。これは、各州の一致しているところである。しかるに、わが国では弁護士に対する懲戒権を持つものは、その弁護士の所属する弁護士会と日本弁護士連合会である（弁護士法五六条・六〇条）。何故に、この点でも、弁護士法はアメリカにならわなかったのであろうか。あるいは、わが国の裁判所に対する不信のためであろうか。

（注一） この点につき本書一二頁（注六）参照。

私は叙上をもってアメリカにおける法律家養成を一瞥した。そして将来わが国の法曹養成の点から見て、参考とすべきところが少くないと思われる。私は私の述べたところが、この点について、若干役に立つことを念願するものである。

（三一・二・一 司法研修所報一六号）

弁護士会における実務修習

一　既に述べたように（一）、司法修習生は、司法研修所に入ると、まず四ヵ月間いわゆる「前期修習」として、法律実務家となるための教育の第一歩を受けることとなる。そこでは、大学の法学部の「法学教育」と司法研修所の「法曹教育」との差、実務と理論との関係、事実認定の重要性と困難性、法曹の重大な責任を説かれながら、裁判・検察および弁護の三部門について実務的教育が開始されるが、この四ヵ月間の前期修習が終ると、司法修習生は司法研修所が修習を委託した修習地に赴いて、裁判所で民事裁判四ヵ月、刑事裁判四ヵ月、検察庁で四ヵ月、弁護士会で四ヵ月の実務修習を行うのである。この実務修習が終ると、修習生は再び司法研修所に戻って四ヵ月間のいわゆる「後期修習」を行うが、その最後に、卒業試験ともいうべき、いわゆる第二回試験がある。これに通過すると、司法修習生は一人前の法曹として、巣立って行き、あるものは裁判官に、あるものは検察官に、あるものは弁護士となるのであって、若干の者は大学の教職につく。この現地修習は、司法研修所長の委託の下に、修習地の裁判所、検察庁と弁護士会が行うものである。ここに述べるのは、修習地の弁護士会における司法修習生の修習についてである（二）。

司法修習生は修習期間のうち少くとも四ヵ月間、必ず弁護士会で修習を行うことになっていて、将来裁判官・検察官または弁護士のいずれを志すかにかかわりなく、必ず弁護士会で修習しなければならないのである。司法研修所の出身者で、現在裁判官または検察官である者は、いずれも弁護士会における修習の経験者なのである。このことは、現在として、いうをまたない当然のことであるが、かつての司法官試補の当時、裁判官または検察官たるべき者が裁判所または検察庁ばかりで修習し、弁護士会での修習を行わなかったことに比較して、現在の制度の持つ意味は、きわめて大きい。今後は、裁判官も検察官も、短期間ながら弁護士会における修習を通じて、一応これについて理解を持つことができることとなった。ちょうど、司法研修所出身の弁護士が、司法修習生として裁判所または検察庁において修習をしたことによって、一応裁判官または検察官の仕事に理解を持つことができるようになったのと同様なのである。

二　司法修習生のほとんど全部の者は、すでに大学で法律学を学んだものであるが、われわれから見れば、そこにおける法学教育は、たとえ実際的の面が強調され、また判例が重視されていたとしても、法律実務そのものとは、縁遠いものなのである。わが国の大学教授のうちにはアメリカのロー・スクールの教授と異なり、法律実務の経験がないものが多いことも、一層理論と実務との間隙を大ならしめたのであろう。したがって、このような大学の環境の下に育ってきた司法修習生は、ややもすると研究といえば、法律書を読むことだと考えがちであって、実務そのものに即した研究をゆるがせにするのである。司法研修所としては、毎年四月に新たに司法修習生を迎えるごとに、まずこの点の蒙を啓くことに大いに努めるが、遺憾ながら、一朝にしては改まらないのである。したがって、弁護士会における修習においても、決して理論的・学問的面を軽視すべきでないことは、もちろんであるが、実務そのものが修習の重点たるべきことは、いうまでもないのである。例を弁護士会における民事の修習に採るならば、簡にして要を得た訴状や準備書面を書くことを学ぶべきは当然であるが、訴訟事件として裁判所にあらわれるもの以外に、多くの事件がどのようにして処理され解決されているか、弁護士が訴訟事件以外に、法律問題の相談相手として、また予防法学的意味において、どのように活動しているかを知るべきであろう。そしてまた一見きわめて簡単に見える訴状も、その一つを書くについて、どのように多くの苦心が払われているか、証拠収集がどのように困難であるか、訴訟依頼者の心理はどのようなものであるか、法廷における証人尋問は、どのようにして熟練できるものであるかなどを、実際に即して学ぶべきであろう。さらに、勝訴判決が確定した後、強制執行を行うについての苦心も、知るべきであろう。貧者が、訴訟を行うことについての悩みも、知るべきであろう。

要するに、弁護士会における修習は、あくまで実務の修習、実務に即しての修習でなくてはならないのである。

三　弁護士会における修習は、すべての司法修習生に課せられているところであり、将来法曹のいずれの部門を志すものでも、等しく熱心にこれを行わなければならない。これもいうをまたないところであるが、もし逆説的にいうことを許されるならば、将来弁護士を志さない者、すなわち裁判官や検察官を志す者こそ、熱心に弁護士会で修習を行うべきであろう。何となればこれらの者は、この機を失しては、弁護士の仕事について知る機会がないからである。

およそ、他人の立場に立って自己を省みることは、何びとにとっても必要なことであるが、将来裁判官または検察官たらんとする司法修習生は、弁護士会における修習中に、弁護士側からして、裁判官または検察官を観察し、これを批判しておくべきであろう。このことは、あたかも将来弁護士を志す司法修習生が、裁判所または検察庁における修習において、その側からして、弁護士を観察し批判しておくことが必要なのと同様なのである。このようにすることによって、自己の部門のみが正しい仕事であるとの独善的の弊から救われるであろう。従来は、とかく自己の部門に立って、自己の部門の利益のみを強く主張し、相手方の立場を無視し、相手方を論難攻撃する者が、その部内で好評を博した。かくて、法曹、すなわち裁判官・検察官および弁護士三者は互に他の部門の地位を引下げる役割を演じ、そのため法曹の地位は低落したのである。これは悲しむべきことであったのである。

四　弁護士会における修習は、これを裁判所および検察庁における修習に比較するならば、まだ組織化されないところの多いのを、その特徴とするといえる。(三) 裁判所および検察庁は官庁であるというほか、司法官試補当時からの修習指導についての古い伝統によって、その修習は、より組織化されているのである。

およそ教育が多数人を相手に集団的に行われると、その組織化に伴い規格品を作りあげる弊を生じがちである。この点は、司法修習生の修習指導について、われわれの常に警戒しているところである。しかし、司法修習生の修習の目的が、僅少のずば抜けた法曹をつくることでなくて、一定の水準に達した法曹を多くつくることにある以上、司法修習生の修習地の異なることによって生ずる地域差や、指導担当者による個人差を可及的に少からしめることが必要である。この点にかんがみ、司法研修所としては、毎年全国の各修習地の指導担当者、すなわち司法修習生の修習指導を担当しておられる裁判官・検察官および弁護士の方々の協議会を催して、司法修習生の修習指導について協議するとともに、ブロック別にも指導担当者の懇談会を開いている。そしてこのような指導担当者からの要望に基づいて、司法研修所としては、昭和二十九年に司法修習生に対する修習指導の基準となるべき「司法修習生指導要綱」を定めたが、これらの努力は幸にも報いられて、現在では修習はほぼ規準によって行われるので、修習地別による修習上の効果の差異は、とくに認められない。しかし、指導担当者如何によって、指導上の差異を生じるのであって、この点の差異がもっとも大きく出てくるのは、弁護士会の修習であろう。このことは、その指導担当の弁護士の個性のほか、民事専門家であるか刑事専門家であるか、法廷外の法律顧問的の仕事を主とするか否か、その他、個人差を生ずる理由は多い。もっとも弁護士会によっては、指導担当の弁護士による個別的指導のほか、総合指導に重点をおき、あるいは一人の司法修習生をば、二人の指導担当者すなわち民事および刑事専門の弁護士各一名によって指導せしめるなど、その他各種の方法によって個人差を減ずることに努めている。

弁護士会の修習では、司法修習生が、指導担当の弁護士と個人的に密接に接する機会が多いので、裁判所または検察庁における修習よりも、人格的の感化・影響を受けることが少くない。これは、弁護士会の修習の特徴である。この点で、われわれは司法修習生が指導担当の弁護士の下で、具体的の事件に即しつつ、弁護士倫理についても、教えられることを期待しているものである。

五　弁護士会における修習期間は、僅か四ヵ月である。このような短い期間のうちに、はたして弁護士たるための修習が、充分に行いうるであろうか。おそらくすべての指導担当者は、否定的に考えるであろう。そして少くとも現在の二倍・三倍の修習期間を、希望されるであろう。しかし、修習期間の不足の問題は、裁判所および検察庁における修習についても、同様に存在するのである。そして、もし裁判所、検察庁および弁護士会における修習期間をそれぞれ倍加し、これに従って全体の修習期間が倍加したとしたならば、どうであろうか。そこに多くの難点のあることは、明かである。さりとて、裁判官・検察官または弁護士となるものの修習を各別に行い、そのために各別の養成機関を作ったならば、二年の修習期間をもってしても、現在よりは直ちに役に立つ裁判官・検察官または弁護士をつくるであろうが、しかし、これは「法曹は一体たるべし」との理念に相反することは、明かである。もっとも弁護士会は、従来の主張である法曹一元、すなわち裁判官および検察官はすべて相当期間弁護士の経験あるもののうちから採用すべきであるとの主張に基づいて、司法修習生は弁護士会だけで修習すればよいといわれるかも知れない。しかし、それは現実を離れた主張であろう。一体、司法研修所を出たばかりの判事補・検事または弁護士であっても、一般世人から見れば専門家であるに違いないが、しかし、多年その道で苦労してきた専門家から見れば、まだ素人の域を脱していないのである。すなわち、法曹としての心構えにおいても、必ずしも充分でなく、法曹としての才能・技術においても、同様である。専門家たるの修業は、決して二年や三年で、足りるものではない。このように考えるとき、法曹養成のためには、司法修習生の修習期間を現在以上に延長するよりも、むしろ法曹となった後に、先輩たる者がこれを指導し教育して、自己の後継者を育成することが必要ではないかと考えられるのである。

この点で、司法研修所では、判事補、ことに任官後五年未満の者を主たる対象として研修を行っているし(四)、法務総合研究所も検事の研修を行っている。これに反して、わが国では司法研修所を出た若い弁護士のための研修制度がない。この点についても、アメリカでは、ロー・ファーム(五)が発達していて、若い弁護士が、そこで先輩の弁護士の指導の下に実務を執りながら、次第に訓練されてゆくことをうらやましく思うのである。もっとも、わが国でも、すぐれた弁護士の事務所は、若い弁護士の訓練場として、大きい役割を果している。それは弁護士会における修習期間の不足を、補って余りありといえるであろう。われわれの期待するのは、このような弁護士事務所が、今後ますます多くなることである。

六　弁護士会における修習は、司法研修所における前期および後期の修習と深い関係に立ち、この点では前述の指導担当者協議会が相互の連絡調整に大きい役割をしている。そしてまた弁護士会における修習は、弁護士会の立場のみから決しうるものでなく、裁判所や検察庁における修習と深い関係に立つのである。現地修習は、裁判所・検察庁または弁護士会のいずれの修習を最初とし、いずれの修習を最後とするのが修習上最も効果があるかということも、修習地の特異性による制約はあるにしても、一応考えるべき問題であろう。現地における修習、ことに講義・講演ないしは見学が重複しないためには、現に各修習地に存在する裁判官・検察官及び弁護士から成る指導連絡委員会の一層の努力が必要であろう。さらに一般的にいって、われわれは各地の指導連絡委員会の今後の活動に期待するところが少くないのである。

わが国のかつての司法官試補の制度は、ドイツのレフェレンダールにならったものと考えられるが、レフェレンダールにあっては弁護士会における修習があるが、司法官試補にはこれがなかったのである。しかるに今やわが国でも弁護士会における修習が、一般的に行われるに至ったことは当然のこととはいえ、喜ぶべきことである。ただわが国において、この制度は、日なお浅いのであって、私はこれが今後すくすくと育ちゆくことを希望し、かつ期待するものである。

（注一）　本書一三頁以下参照。
（注二）　弁護士の修習について、吉川大二郎「弁護士修習の概況と課題」（法律時報昭三五・四月号）。

（注三）　司法研修所における弁護修習は、何といっても不充分である。たとえば、司法研修所には、教官として裁判官十四名（民事、刑事各裁判官七名宛）、検察官七名（検察教官）、弁護士十四名（民事弁護、刑事弁護各七名宛）がいるが、裁判教官と検察教官とはいずれも専任であるのに反し、弁護教官は弁護士業務に従事する傍、一週一日出勤するパートタイムの教官である。そして従来司法研修所として、弁護教官について専任教官をおくことを希望するに拘らず、弁護士側の都合で実現されない。この点につき、将来日本弁護士連合会などがその実現に努力されることが望ましい。弁護教官としての専任教官がないために、弁護事務についての修習が裁判、検察の修習に比して、おのずから不充分となるのである。

なお、右の点に関連して、わが国における弁護士の発達の跡を顧みることが必要であろう。この点につき、ラビノウィッツ「日本弁護士の史的発達」（ハーバード・ロー・レビュー一九五六年一一月号掲載、アメリカーナ一九五七年三月号訳載）は、注目すべき文献である。

（注四）　司法研修所が裁判官について行っている研究会ないし研修は、はなはだ多い。この点については、司法研修所要覧によって、その大体を知ることができる。

（注五）　ロー・ファームにつき本書一六三頁以下参照。

（三二・六・一　自由と正義八巻六号）

司法研修所の回顧と展望

一　創立十周年に際しての回顧

司法研修所教官諸兄!!　ご承知のごとく司法研修所は、昭和二十二年五月三日に設立されたものであり、これは新憲法および裁判所法の施行された日である。まさに、司法研修所は、新憲法とともに、新しい時代の新しい法曹養成の機関として誕生したのである。そして、司法研修所は同年十二月一日初めて第一期司法修習生の修習を開始し、爾来十年の歳月が流れた。この間、それは幾多の困難と闘いながら、裁判所・検察庁・弁護士会の絶大な支持と、さらに学界の緊密な協力の下に、その基礎を固めつつ、わが国唯一の法曹養成機関として発展して来た。そして、その間すでに二千名を超える法曹を世に送り出し、今やわが国の裁判所・検察庁・弁護士会の若い層のほとんどすべては、司法研修所出身者をもって占められるに至ったのである。

去る昭和三十二年十二月一日に、われわれは思い出深い修習開始の日をトして、創立十周年の記念式典を行った。式典および祝賀会は、晴天の下、来賓、現旧教官、司法研修所出身者たる法曹ら数百名が司法研修所に集まって、きわめて盛大に行われた。私は、今静かに諸君と共に、この機会に司法研修所の過去十年の歩みの跡を顧みてみたい。思うに、司法研修所として、みずから十年の歴史を振返るとき、そのなしたところは、その責務の大なるに比すれば、きわめて小であったことを反省するとともに、それがわが国の法曹界に多少の寄与をなし得たことを信じ、諸兄と共に心中喜びを感じるのである。そして、司法研修所の果した一つの業績は、従来いわゆる在朝在野に分れて時に対立的でさえあったわが国の法曹の間に「法曹は一体である」との意識と感情をおのずから醸成したことであり、他の一つは、大学における「法学教育」に対比して、「法曹教育」すなわち裁判官・検察官および弁護士となるべき者の教育を確立し、その重要性と特殊性とを広く一般に認識させ得たことであろう。

司法研修所教官諸兄!! このときに当って、私は諸兄と共に司法研修所の来し方を回顧し、また将来を展望したい。

私が司法研修所に転じて来たのは、昭和二十七年六月初旬であって、その創立後約四年半のときであったが、すべて新しい制度がそのようであるように、当時司法研修所という新しい名称は、世間に知られていないばかりでなく、法律家の間でもその内容は余り知られていなかった。まして法律雑誌ですら、司法研修所に関する記事を載せるものは、きわめて稀であった。印象的だったのは、私が司法研修所へ来てしばらくしたとき、ある教官が「司法研修所の記事が雑誌に載っている」といって息をはずましてて、所長室に飛込んで来たことである。現在、司法研修所の存在が広く知られて、外国人の訪問客さえ多いことを思うと、文字通り隔世の感なきを得ないのである。

私が司法研修所へ来た当時、司法研修所はアメリカの占領政策の一環として、アメリカのロー・スクールに倣って設立されたものと聞かされていたし、不思議にも司法研修所の関係者すらも、そのように信じていたようである。これは終戦後、わが国の学制がアメリカに倣って六・三・三制を採用して根本的に変改させられたので、わが国の新しい法律家養成制度である司法研修所もまた、アメリカの制度に倣ったものと考えたのであろう。裁判実務から突然司法研修所に転じた私としては、当時アメリカのロー・スクールの内容など全く知らなかったので、司法研修所関係者などに、アメリカのロー・スクールとは、どういうものかと屢〻質問したのであったが、それは司法研修所のような制度だと答えられたことを記憶している。思うに、戦前からわが国の学者や法曹のうちには欧州に留学した者が多いが、アメリカのロー・スクールに留学した者は少かったばかりでなく、おそらくこれらの者もその専攻する英米法の研究に忙しいので、制度としてのロー・スクール自体について、これをわが国に紹介する労をとらなかったのであろう。したがって、当時邦語の文献によって、ロー・スクールの内容を知ることができなかったことが、司法研修所とロー・スクールとの関係を一層不明瞭ならしめたのであろう。たまたま私が昭和三十年春、アメリカの法曹教育を視察する直前、入手して通読したハーノーの「アメリカにおける法学教育」(Harno, Legal Education in the United States, 1953) は、私にロー・スクールの全貌についての予備知識を教えてくれ、三ヵ月間のアメリカ旅行は、私をして司法研修所がロー・スクールとは、全く異なる制度であることを確信せしめた。そしてハーノーの右著書は、アメリカの法曹教育について、もっとも権威があり、かつ新しく、この点の唯一の良書ともいうべきことを知ったので、司法研修所はこれを訳出したが（司法研修所調査叢書二号）、この邦訳は、ロー・スクールの理解と認識を深めるのに、大いに役立ったものと思われる。他方では、司法研修所は、その設立当初の沿革、すなわち裁判所法の当該部分の沿革（同法一四条・五五条・五六条）などを調査したが、驚くべきことは、終戦後の革命的大変革に際して、ほとんどすべての裁判制度は根本的に改められたので、その一部に過ぎない司法研修所の設立の理由については、ほとんど資料さえないという有様であった。しかし、調査の結果知り得たことは、司法研修所がアメリカ側のサジェスチョンによったものと認められないことと、それが終戦後の革命的変革期にいわば噴出したものであるということである。しかし、この噴出の蔭には、法曹の教育は将来一体たるべきものとの理念が動いていたことを否定できない。なお司法研修所が欧州の法曹養成制度に範をとったものでないことは、いうまでもない。

ここにおいて、私たちは司法研修所がわが国独特の法曹養成制度として、きわめて注目に値することを強調し始めたのであるが、意外にもアメリカなどでも反響をよび起した。（一）（二）

（注一）　私がアメリカの雑誌に司法研修所の紹介を書いたことは、反響があったようである。Jiro Matsuda, The Japanese Legal Training and Research Institute (The American Journal of Comparative Law, Vol. 7. No. 3. 1958)。

（注二）　私は昭和三十四年一月にインターナショナル・コンミッション・オブ・ジュリスト (International Commission of Jurists) 主催の国際法曹会議がインドのニュー・デリーで開かれたとき出席したが、その折、インディアン・ロー・インスティテュートで司法研修所について講演をした。この講演は、The Journal of Indian Law Institute, Vol. 1. No. 2 (1959) に掲載された。この点につき、松田「国際法曹会議雑感」(司法研修所報二三号)。

二　法曹教育の確立

一　いったい、教育に関しては、各人が一家言を持つものであって、各人はこれについて、いわば一言居士である。そこで私が司法研修所に赴任すると、直ちに各方面から諸種の要望がなされた。まず一部の者は、従来の法律実務家の理論的・学問的面の欠乏を指摘して、司法研修所の教育に対して学問的要素の導入の必要を強く主張したのである。このような考えを持ったものの多くは、大学教授であった。そして、その指摘するような欠点が、たしかにわが国の法律実務家にあったことは、事実である。しかし、その批判は、主として、法律実務家の解釈論的方面に対する批判であって、必ずしも実務家に最も大切な事実認定・証人尋問・訴訟指揮などに対する学的研究の不足の非難ではなかった。いわば、これらの批判は、司法研修所に対して、大学の法学部の教育の延長を期待したものといいえよう。それは、大いに傾聴すべき忠告ではあるが、「法曹教育」、すなわち裁判官・検察官または弁護士という法律実務家たるべき者の教育をば、大学の「法学教育」と同一視するところがあったのである。しかるに、右の主張とは正反対の見解が、存在していた。そしてその主張の極端な者は、司法研修所に対して、もっぱら直ちに役立つ実務教育を要求した。そして、はなはだしい者は、司法修習生に対して主として判決・訴状・起訴状などの起案の練習のみを求め、学問は一切大学の教えるところで既に充分であるから、法律実務家は大学教授の説くところの学説ないし理論を適用すればよいのであって、学説や理論のことは、司法研修所の関知しないところだと主張した。実務家には、今なおこのような考えのものがあろう。(一) そしてこれらの者は、いわば司法研修所に対して、純然たる徒弟的教育を求めたのである。しかし、これらの者も、必ずしも事実認定・訴訟指揮・証人尋問方法の修習について、多くの関心はなかったのである。

司法修習生に対する一般教養についても、説は分れていた。一部の者は、司法研修所は何よりも一般教養を重んずべきであって、一般教養なくして何の法律家ぞやと主張した。そのいうところが、抽象論として正当であることは、いうまでもないところである。しかし、人々のいう一般教養の内容は、必ずしも一致していなかった。ある人は一般教養をもって、「行儀作法」と考えているらしかった。終戦後の無軌道・無統制の時代において、司法修習生のうちにも戦場帰りの猛者が少くなかったから、このような主張にも、相当の理由はあった。これに対して、ある者は、互に酒を酌み胸襟を開いて語ることをもって、教養を身につけるための至上の方法と信じていた。これは、きわめて東洋的のものである。さらに、一部の者は司法研修所は、司法修習生を遇するに一人前の紳士をもってすべきであって、一切の指導めいたことは止めるべきだといって、徹底した放任主義をとることを主張したが、これに対し、他の者は、厳格主義をもって臨むべしとした。

「弁護士倫理」の問題も、簡単に行かなかった。弁護士会の方々はこういわれた。「弁護士のうちには、依頼者から預っている金を使い込む者があり、人格の低いものもあるから、弁護士倫理を司法研修所で大いに教える必要がある」と。しかし、これは必ずしも弁護士倫理の問題ではなく、人としての道徳の問題であるのであって、弁護士倫理とは、いうまでもなく弁護士としてのプロフェッションの倫理である。しかるに、この点の認識がないため、一部の者は司法研修所に対して、強く一般道徳の講義の必要を要求された結果となったのである。もっとも、この点について、日本弁護士連合会が弁護士倫理の普及徹底に対して、非常に努力されたことは、忘るべきではない。

いったい新しい時代は、いつでも新しい教育を要求するものであるが、私は司法研修所に来て叙上の対立した見解に接して、そぞろ明治維新直後、新時代の新しい教育を行うについて、当時の人が苦心したことを想像したのであった。徳川時代には学校として、江戸に昌平黌があり、諸藩に藩校があり、さらに私塾として寺小屋が各所にあったが、いうまでもなく、それらはいずれも主として漢学に立脚する教育であった。これに対して、蕃書調所は、洋学の先駆であったといい得よう。そして私として興味深く覚えるのは、明治維新の復古主義は、祭政一致および神祇官の再興とともに、学制もまた国学的精神をもってすべきことが強調されたことである。ここで、新たに力を得た国学派と従来の儒教の漢学派との間に抗争を生じたのであった。しかるに、近代的教育を樹立しようとして、洋学が入るに及んで、先に争った国学派と漢学派とが相提携して、洋学派に対抗した。これは明治初頭における数年の間の情勢であったが、新しい時代には、常に教育方針について、低迷や混乱を生ずるものであろう。

（注一） 司法研修所が今でも、判決起案を教育の中心にしているような批判が一部にあるが（たとえば、「司法試験制度批判」法律時報三一巻四号（昭三四・四月）四四―四五頁）、司法研修所の現状は、そうではない。なおいわゆる第二回試験が判決起案の試験だと信じている者もあるが、それも過去の物語に過ぎない。もっとも、このようにいっても、法曹として起案の重要なことは、いうまでもないのであって、司法研修所がこの点を修習上重要視していることは、当然である。

二 (1) いったい、わが国では、遺憾ながら、とかく理論と実務とは縁遠いものだとする考えが、根強く存在するのであって、この考えが司法研修所の教育に対して、相当障害となったのである。われわれは、この障害と戦いつつ、法曹の養成には、理論の必要なことを強調してきたものといい得よう。（二）しかし、そのことは、決して法曹としての経験や、これに基づく「勘」を軽視するものではなく、「実務に即しての理論」の必要を強調してきたのであるが、私どもが「理論の必要」をいうと、一部の実務家は、このことだけで、既に反感・反撥を感じたようである。

しかし、他面において、われわれは学界に対して、多くのことを主張したのである。ことに大学の法学部の教授に対して、実務への理解を希望したのである。実体法も、これを裁判や訴訟法との関連において、研究すべきものと思われるからである。このようにして、われわれは、一面においては、司法修習生らに対して学問の必要を説いて、実務家が単に実務の経験や勘だけに頼るべきではないことを主張し、他面において大学教授の方々に対しては、実務に対する理解を要望したのである。私のしばしば述べたごとく、わが国では、大学の「法学教育」に対比して、法曹の養成のための「法曹教育」が軽視されている変態的現象が行われていたのであって、しかもこのことが従来少しも不思議に思われなかったところに、日本の特殊性があったのである。われわれは、このことを広く認識されるように努力して来たのであって、司法研修所を中心として、「法曹教育」という新分野が、おのずから形成されて今日にいたったのである。「法曹教育」というわれわれの新造語も、既に熟して来たのである。

(2) 司法研修所の過去を顧みるとき、なんといっても、司法修習生の修習について、裁判・検察・弁護の三部門から、それぞれの部門に対する修習についての要望が強く行われていた。自己の部門を愛するがゆえに、その部門の修習に力を注ぐことを望むことは当然であるが、しかし、司法研修所として三者の要求をいかにして調和してゆくかということが、きわめて重要な点であったのである。これに対して、われわれは、司法研修所は、裁判官のみの養成を目的とするものではなく、また検察官のみを養成するところでもなく、弁護士のみを養成するところでもなく、要するに三部門のために「普通教育」を行うべきところであると主張して来たのである。そしてこの主張は、幸にも今や一般的に承認されるところになったといい得よう。

この点に関連して、「司法修習生指導要綱(一)」制定のことが思い出される。今より見れば、きわめて平凡とも見える指導要綱の制定の経過も、決して平穏ではなかったのである。一体、司法修習生の修習について指導要綱をきめるべきか否かが、大いに争われた。当時何等まとまった基準がなかったので、司法研修所と現地修習との連絡を合理化し、また修習地による地域差・指導担当者による個人差を可及的に除去しようとする者はその制定の必要を強調したが、自由な立場により司法修習生を指導する必要を主張する者は、その制定に反対した。そして指導要綱の制定を望む者の間でも司法研修所の前期・後期の修習や裁判所、検察庁、弁護士会におけるそれぞれの修習自体およびその相互の調節について、多くの激しい議論を生んだのである。しかるに、司法研修所教官会議で長い間検討し、さらに司法修習生の修習指導担当者から構成される会議（全国指導担当者協議会）においても厳しい検討が行われた上、最後にその一致した賛同を得て、結局昭和二十九年七月一日、司法研修所長通達として、司法修習生指導要綱が制定されたのであった。でき上ったものは、必ずしも詳細なものではないけれども、それは司法研修所長が一方的に定めたものでなく、右のような経過の下にでき上ったものであって、誇張していうならば、その一条毎に討論と接衝の趾をとどめている。そして幸にもそれが制定されるに至ったことは、司法研修所の修習の基礎を確立した点で、画期的の意味を持つものである[三]。

　このような経過をたどる間に、司法研修所に対するいろいろの希望も要求も、裁判・検察および弁護の三部門の対立も、すべて融合されて、司法研修所における教育は、おのずから新しい時代の「法曹教育」としての性格と特徴をもつようになった。もっとも司法研修所として、将来考えなければならない問題も存在しているが、その問題の種類と程度は、全く数年前と質を異にしている。かつては、司法修習生の修習上、統一が必要であったこともあったが、かえって今は「規格品」をつくらないように注意すべきときとなったのである。そして、かつては、司法修習生の修習指導を担当する裁判官・検察官および弁護士の会議（指導担当者協議会）は、時には不当に論争の場であったが、今から考えるとそれも、昔語りにすぎない。しかし、ここに至るまでには、十年余の歳月とその間の努力が必要だったのである。そしてその間の裁判所・検察庁および弁護士会の司法研修所に対する大なる協力を、われわれとして忘れることができない。そして学界側の支援の大きかったことも、心から感謝しなければならないのである。

今司法研修所の出身者は、裁判官であると検察官であると、弁護士であるとを問わず、法曹としての一体感をおのずから体得している。そして司法研修所の裁判・検察および弁護の現教官と旧教官から成る「紀尾井会」は、おそらくもっとも楽しい集いであろう。しかし、われわれは司法研修所がかつて分裂に近いとも思われる危機を克服して今日に至ったことを知らなければならないし、短見者流の考えによって、将来これを分裂せしめることがあってはならない。破壊は簡単であるが、建設には忍耐と努力が必要なのである。

（注一）　実務としての法律学（本書三七頁以下）参照。

（注二）　司法修習生指導要綱は本書の巻末に付した。

（注三）　最近に至って、検察庁における修習方法が違法であると一部の司法修習生が主張して、問題を提起している。坂東克彦「司法修習生の検察修習の違法性」（自由と正義昭三五・一一月号）参照。検察庁における修習方法は、司法修習生指導要綱に基づいて行われるのであるが、その制定当時、検察庁における現実の修習方法を調査して、それを是認した上、全国の指導担当者協議会において、これに参加した裁判官・検察官および弁護士が全員一致して指導要綱を可決したものであったのである。もとより時世の変遷とともに、検察庁における修習方法についても、改めるべき点もあろう。しかし、右のようにして検察庁における修習方法が定められたものである。そして指導要綱制定に当っても、検察庁における当時の修習方法は、もっとも厳しく検討された上、現在のように決定されたものだったのである。

三　司法試験制度の改正

一　私は司法研修所の過去を顧みて、忘れることができないのは、司法試験制度改正の問題が起ったことである。改正の動機となったのは、近時司法試験合格者中、大学在校生の合格率が低率となり、合格者の大半は大学卒業生となり、いわば浪人組になったという点にあった。そして、新制大学の教育では、大部分の法律に関する専門的科目を第三年および第四年に配置しているため、大学在学生は司法試験に合格し得なくなったというのである。したがって、その改正の動機は司法試験を新制大学の制度に適応せしめ、大学在校生の合格を容易ならしめることによって、優秀な新卒業生を法曹に迎える点にあったのである。（一）私は、まずここで、どのような司法修習生が望ましくないかを述べておきたい。

(1)　毎年新しい司法修習生を迎えるたびに感じることは、司法修習生のうちには、困難な司法試験を通過して来たため、既に法律に通暁しているという自信を持っているものが少くないことである。もっとも、そこには若さも手伝っているが、しかしこれらの者のうちには、自分が理論的だと信じていながら、たまたま大学で教えを受けた教授か、または司法試験の受験のために用いた教科書の学説を暗記しているに過ぎないものがいる。そして暗記しているその学説を金科玉条として、他の学説の価値などは勇敢に無視してしまうのである。いったい、現在の司法試験では、いかなる学説を筆記試験の答案にかいても、また口述試験の際に述べても、一応学説と認められているものである限り、及第点はとれるものである。この点で、司法試験は、多くの人の信じている程、むつかしいものではない。しかし、そのため、受験の方法としては、一つの簡単な教科書だけを読んでこれを覚え、その教科書が一言数句で批評し去っている他の学説はこれを無視するのが、賢明なのかも知れない。しかし、このような受験方法で司法試験を通過した者が依然として、従来のやり方が「権道」であったことを自覚しないで、自己が法律に通暁していると自負していることは、はなはだ危険である。そしてこれらの者に対して、質問すると、一切を自分が覚えている一つの学説だけで簡単に割切ってしまう。具体的ケースのニュアンスも何も考えるところもなく、事実に即して学説を考え直そうとせず、しかもこれらの者は「事実」に対して、明快に法律を適用できると自負している。しかし、このような者の法曹としての適格が問題となる。けだし、これらの者には、「複雑な社会的事実」があまりにも簡単に映じてしまうからである。

(2) 右の者と反対に、学説をきくと学説はよく暗記しているが、具体的事例を挙げて質問すると、その学説のあてはまるべき典型的な場合ですら、答えられないものがいる。これは学説だけを丸暗記しているのであって、その者には「事実」と学説とは、全く無関係の存在らしいのである。しかし、「事実」こそ、法曹にとって、一番大切なものなのである。

(3) 右と反対に、「事実」に対して関心があると見えるものでも、常に一方に有利なことだけを集めて、不利なことを考慮に入れない者がいる。このような者はたとえ「事実」を重んじ、これに立脚しているといっても、事実に忠実でない。また人情の機微に通じ世の中の裏を知っていると信じているものであっても、その者の過去の経験が一方に偏していて、一方だけから事実を見る性癖のある者も同様である。さらに、一切の法律問題を細かく考えないで、信義誠実の原則や権利濫用のみによって、簡単に処理しようとする者も、司法修習生の適性が疑われる。

このようにいってくると、司法修習生の適格を有するものが少くなるといわれるかも知れない。しかし、私はこの点の修習についての適性をもっと科学的に調査することの必要を思っているものである。そして司法修習生としての適格調査のため、アメリカで行われているロー・スクール・アドミッション・テスト(二)などについて、大いに研究すべき必要を感じるものである。

(注一) 法務省は昭和三十年十一月法制審議会に対して司法試験に関する制度の改善につき諮問を発し、その後その答申を得た上、さらにこれに検討を加え、司法試験法改正法を昭和三十三年十二月第三十一回国会で成立せしめた。しかし、この改正法は、法制審議会の決議を全く無視したものであり、法曹教育を担当していた私らより見ても、はなはだ不満なものであった。この司法試験法の改正につき、津田実「司法試験法の改正について」（法曹時報一一巻一号）。司法試験制度改正の問題については、「司法試験制度批判」（法律時報三一巻四号昭三四・四月号）、その他自由と正義（一〇巻一号昭三四・一月号）参照。

（注二）この点につき、本書一一九頁以下参照。

二　司法試験の受験科目を如何に改めるべきかについて、私は次の問題を採り上げて主張していた。一は訴訟法に関し、他は一般教養科目に関する。

(1)　司法試験の科目として、訴訟法を如何に取り扱うべきかは大いに議論のあるところであろう。一部の者は司法試験の科目より、訴訟法を除去し、または軽減することによって、人材を司法部に迎えうると主張する。この主張には、大いに傾聴に値するものがある。しかし、法曹は法律実務を掌るものである以上、法曹への関門たる司法試験において、訴訟法の重視されるべきは当然であろう。私は司法試験には民事訴訟法と刑事訴訟法の双方が必須であるべきだと考える。しかし、私はかくいうことによって、細微に亘りまたはきわめて実務的の訴訟法的知識を試験すべきことを、主張するものではない。かえって司法試験においては、訴訟法の基本原理、その構造などについての知識を試験すべく、それをもって足りるのである。(一)

(2)　次に、司法試験に一般教養科目を加うべきやの問題がある。

およそ法曹への道は、広く開かれていなければならない。このことは、司法試験改正に当っても、当然の前提であるべきである。しかし、われわれは、今や社会が法曹に対し、殊に若き司法研修所出身者に対して、きわめて高度の教養を期待しつつあることを忘れてはならないのである。そしてある程度の教養は、法律実務を学ぶことの前提とさえいいうるのである。

この問題を司法研修所より見るとき、次のように考えられる。すなわち、司法研修所が司法修習生の一般教養に対し重きをおくべきことは当然であるが、しかし、司法研修所の現在の修習期間を延長し得ないかぎり、そのカリキュラムはすでにいっぱいになっているのである。換言すれば、司法研修所はおそらく現在以上に一般教養のため多くの時間を割き得ないのである。かくて司法研修所としては、既に一般教養を可及的に身につけた者の入所を希望することは当然であろう。

もとより一般教養科目を司法試験に加えるとしたならば、その試験方法について、きわめて慎重な検討を必要とする。単なる物識り、単なる百科事典的知識は、決して一般教養の名に値しないからである。しかし、この点に関する試験方法の困難にもかかわらず、ある程度の一般教養は法曹教育を受けることの前提たることを失わないのである。そして一般教養科目についての試験方法が、研究されるべきである。なお叙上の点に関連して、将来外国語を試験科目に加えることも、考えるべきである。現在一流会社の新入社員採用に当って、教養や語学についても、試験されつつあることを見るとき、法曹たるべき者については、少くとも同様のことが要求されて、しかるべきだからである。[二]

(3)　なおアメリカでは、州によって、バーの試験の受験回数を制限しており、一定の回数受験して及第しなかった者には、受験資格を失わせている。このような者は、法曹となる適格がないと認められるからであろう。何度司法試験に落ちても、法曹となることを生涯の目標として努力する人の志は、壮とすべきであるが、アメリカの法制は参考とすべきである。（三）

（注一）　私のこの主張は、残念ながら、採用されなかった。改正司法試験法は従来民事訴訟法と刑事訴訟法の双方が必須科目であったのに対して、論文式の試験として、民事訴訟法と刑事訴訟法のうち、受験者はいずれか一科目を選択することとなった。

（注二）　この点についての私の主張は、残念ながら、採用されなかった。

（注三）　本書一五八頁以下参照。

三　なお司法試験は法務大臣の所管であって、司法試験管理委員会は法務省の事務次官と最高裁判所の事務総長および弁護士（法務大臣が日本弁護士連合会の推せんに基づき任命する者）の三名から組織されているが、司法試験は実質上、司法研修所の入学試験にほかならない。したがって、司法試験と司法研修所とは、何らかの形で直結すべきであって、将来は、司法研修所長を司法試験管理委員会の委員に加えることも、考えられるべきであろう。

四　将来への展望

一　司法試験に関連するものとして、法曹人口の問題がある。わが国のように、裁判官・検察官および弁護士がほとんど全部司法研修所出身者ばかりで充てられる制度の下では、司法試験合格者数がわが国の将来の法曹人口数を決定してしまうからである。この点について、法曹人口に関する司法研修所の研究「法曹人口問題に関する研究」(司法研修所調査叢書一号)は、きわめて意味あるものとして大いに注目されたが、この二、三年来司法試験の合格者数が急激に増加し、昭和二十八年の合格者二二四人、昭和二十九年の合格者二五〇人であったのに、昭和三十二年の合格者二八六人となったのも、裁判官や検察官の増員計画にもよるが、右の研究の一つの結果ともいいうる。(二)なお法曹人口に関する右の研究は、司法研修所としてその第一歩だったに過ぎない。今後さらにこの研究をつづけることが期待されるのである。

二　司法研修所が法曹教育の中心であるならば、将来司法研修所は実務に即しての研究の大きなセンターにならなければならない。司法研修所は、すでにその方へ一歩・二歩踏み出したといい得よう。すなわち、司法研修所は、少しずつではあるが、今や大学の法学部で行い得ないところの研究を次第に積みつつあるのである。たとえば、殺人に関する刑の量定の研究は近く印刷に付するが、やがて情況証拠による事実認定や供述心理や訴訟指揮に関する研究など、実務に即しての理論的研究の発表されることを期待している。そして民事の分野については、近日「民事第一審訴訟手続の解説」と、「民事判決起案の手びき」を刊行するが、これなども頁数は必ずしも多くないにしても、裁判官としての経験を有する教官が、実務に即しつつ理論的な説明を試みたものであり、すなわち裁判官として

また教官としての長い間の努力の結晶として、きわめて貴重な資料であろう。(二)

三　司法研修所の渉外関係も、一言しなければならないところである。人の知るように、司法研修所とハーバード大学のロー・スクールとの間に深い関係ができ、近く司法研修所出身の若い法曹をハーバードに留学させることができるようになった。ハーバードとの関係は、今後長く継続されるものである。またアメリカン・バー・アッソシエーションの会長をしていたストーレー氏が学部長をしていられるダラスのサザーン・メソディストのロー・スクールとも深く結ばれた。これらは司法研修所に厚意を有する外人の力によるところが、少くないのである。

もちろん、われわれ法曹として、単に語学に堪能であるということは、たいした問題ではない。しかし、現在のごとき時代には、その視野をひろめるために、若い法曹を外国に送ることは大いに意味があるのである。従来、わが国の大学の若い教授連は外国へ留学する機会を持ったが、若い法曹には、このような機会が恵まれなかった。これは、わが国の法曹教育における欠点といえるのである。われわれは、将来、最高裁判所などが、そのため相当額の予算を獲得して司法研修所出身の若い人を外国へ送ることを期待するが、これは必ずしも容易に期待できないであろう。よって、今後も司法研修所がさらに諸外国との関係を打開し、若い人を大いに外国に送るべきであろう。

四　司法研修所は、従来司法修習生諸君に対して、実務に即しての学問の必要を説いてきたが、この点でも、相当の成果をあげたといいえよう。このことは、記念論文集の上に、如実に現われている。私が司法研修所に来た直後、創立五周年を祝い、ついで創立七周年を祝い、今ここに創立十周年を祝ったのであるが、創立五周年のときには、まとまった論文集を出すだけの論文が集まらなかった。集まったのは僅か数編であったので、これを通常の司法研修所報のなかに掲載しただけであった。つぎに創立七周年のときには、一冊の記念論文集を出すことができて、われわれは非常に喜んだのであるが、今から見れば、これはきわめて薄いものに過ぎない。しかるに、創立十周年の論文集は、民事編と刑事編の二冊に分かれ、論文数が合計四十以上にのぼり、内容的にも優れたものが少くない。そして、これはいずれも、司法研修所出身者である裁判官・検察官・弁護士・大学教授および司法修習生の筆になるものであり、これらの者が筆を通じて、いわばそこに法曹の一体であることを示したのである。この論文集は近く刊行されるのである。そして、私は前後五、六年のきわめて短い月日の間に、かくも若い人達の間に研究心が油然とわきあがったのを見て、「実務としての法律学」の必要を主張したことが、無駄でなかったことを知ったのであった。なおやがて図書室が新築されることになったし、アメリカのロー・スクールと司法研修所との間における刊行物交換は、次第に緒につき出した。いずれも、よろこばしいことである。

（注一） その後、合格者は昭和三十三年に三四六人となり、昭和三十四年に三一九人となった。

（注二） 兼子博士の著書である「裁判法」に掲げる主要文献目録のうち、司法研修所刊行のものが相当数あることも、意味が深い。

五　裁判官研修

司法研修所は司法修習生の修習を掌どっているが、それと併行して、裁判官の研修をも所管している。これについて、一言したい。

現在、司法研修所出身の判事補は全国にばらまかれており、田舎の支部に勤務している者も少なくないが、これらの若い裁判官の気をくさらせないことが、大切なことと思われる。そこで司法研修所は、任官後五年未満の判事補は、比較的時間にも余裕があるので、これらの若い判事補のために、盛んに研修を行っている。

なお、司法研修所の主催する裁判官の研修ないし研究会は、昨年度においてその回数が約五十、これに参加した裁判官の数は九百人以上にのぼっている。そしてその研究会の対象は、多岐に亘り、多くの分野に及んでいる。この点に関連して考えるべきことは、裁判官が各自独立であるため、とかく執務がバラバラになって、直接に裁判に関係のない事務についても、不統一のことが多い点である。かかることは、裁判の独立の名の下に許されるべきでなく、訴訟当事者としても迷惑であろう。裁判所相互の事務上の取扱については、さらに不統一がはなはだしい。司法研修所は、これらの点にも意を用いたのであるが（たとえば東京と大阪の裁判所の共同の研究会）、その効果を期待したいのである。

なお一言すべきものとして、司法研修所の所管する司法研究がある。これは裁判官が裁判実務に即しての理論的研究を行うものであって、これに従事する裁判官は原則として六ヵ月間全く裁判実務より離れて研究し、その結果をリポートとして提出するものである。毎年これに従事する者は約十名位であり、従来秀れたリポートがあるが、今後ますます法律実務家に役立つところの研究が、実ることを念願するものである。それとともに、私としては、司法研究について、こんなことを夢想していた。すなわち、それは、リポート提出の義務のない司法研究であって、たとえば裁判官生活を十年した者には、半年か一年ぐらい自由の時間を与え、自由に研究し、思索し、読書する機会を与えることなのである。これは、裁判官の生活に対して大いに潤いを与え、活力を与えるであろう。若い判事補から六五歳の定年まで、充分の夏休みもなく、冬休みもなく、裁判実務に従事しておれば、本来いかに優れている者を裁判官に採用しても、裁判官の素質が低下せざるを得ないのである。それは、もっとも考えなければならない重要な問題である。私は、司法研究をそのために活用することのできる日の来ることを夢想しているのである。

＊　＊　＊

司法研修所の白山の寮より程遠からぬ植物園は、蘭学者青木昆陽が甘藷を栽培したところとして、由緒あるところであるが、私はその寮に赴き閑を得て植物園を訪ねる毎に、わが国の医学界の恩人であるドイツ人ベルツを思い出すのである。それは彼の来朝二十五年の祝賀会がそこで開かれたとき、彼が率直にわが国の学問を批判したところの演説中の数句に関する。彼の趣旨は、次のようなものであった。曰く「われわれ西欧の者が遠く日本に来たのは、学問の種子を日本に蒔き、その種子が芽をふき、やがて美しき実を結ぶことを欲したからである。しかるに、日本人は、われわれから単に最新の収穫を受取ろうとしたが、この収穫をもたらす根本の精神を学ぼうとしなかった」と。それはわが国の学問の欠陥をいみじくも、指摘したものといえよう。私は司法修習生諸君に対して、この言葉を幾度か引いて、相共に戒しめ合ったのである。顧みれば、司法研修所は過去十年間、種子を蒔いて来たのであるが、しかし、私達はベルツに比して遥かに多幸であることを思うのである。けだし、司法研修所出身者および司法修習生の多くは、われわれの根本精神を理解しているものと信ずるからである。

（教官会議にて）

（付記）　本文に述べるところは、司法研修所十周年記念式典（昭和三十二年十二月）当時の事実に基づくもので、それ以後のことは注で補った。

付録　司法修習生指導要綱（昭和二九年七月一日 実務修習庁（会）の長あて司法研修所長通達）

第一章　総　　則
第二章　一般教養
第三章　実務に関する修習
　第一節　裁　　判
　第二節　検　　察
　第三節　弁　　護
　第四節　補　　則

第一章　総　　則

第一　司法修習生の修習については、すでに修得した学識の深化及びその実務への応用とともに一般教養を重視し、もつて法曹たるにふさわしい品位と能力を備え、かつその社会的使命を自覚させるように指導しなければならない。

第二　司法修習生の二年間の修習は、
1司法研修所における前期修習（四箇月）
2修習を委託された裁判所、検察庁及び弁護士会（以下「配属庁」という）における修習（一年四箇月）
3司法研修所における後期修習（四箇月）
の順序に行う。

第三　司法研修所における前期修習は、実務に関する一般的基礎的概念の把握を、配属庁における修習は、裁判、検察及び弁護の実態の体得を、司法研修所における後期修習は、修習の総仕上げ及び全般的な調整をそれぞれ主眼として指導する。

第四　司法研修所は、毎年一回適当な時期に、各配属庁の指導担当者を招集して司法修習生指導担当者協議会を開き、司法修習生の修習指導の運営に関する一般事項について協議を行う。

第五　修習を委託された裁判所、検察庁及び弁護士会は、指導に関する相互間の有機的な連絡を図り、あわせて司法研修所と緊密な連絡を保つため、配属地ごとに指導連絡委員会を設ける。

指導連絡委員会は、修習の効果をあげるため、修習の内容、修習の順序、修習に関する費用の使用方法等について、連絡協議する。

指導連絡委員会は、見学、講演会の実施等について、司法研修所及び配属庁の各部門の修習との関係を考慮して、最も有効適切ならしめるように努める。

第六　司法研修所及び各配属庁は、常に司法研修所における修習と配属庁における修習との関連調整について留意し、相互に修習内容の概要を報告しあうこととし、修習内容の重複を避け、又は相互にその不充分な点を補強することに努める。

司法研修所は、右の目的のため、必要に応じて、関係配属庁の指導担当者との協議会を開くことができる。

第七　司法修習生の指導にあたつては、適宜教官及び指導担当者と司法修習生との懇談の機会を設けて、人格的接触を図り、また司法修習生の忌憚のない希望、感想などをきくように努め、常に相互の理解のもとに修習の実をあげるように留意する。

第二章　一般教養

第一　一般教養については、視野を広め、事物の本質を把握し、時代に対する高い識見と深い洞察力を養うように指導し、浅薄皮相な知識の獲得に堕さないように留意しなければならない。

第二　司法研修所においては、右の目的を達するための一助として、

㈠科学、宗教、芸術等各界の権威者による講演

㈡国会、博物館、近代的大企業施設等の見学

㈢音楽、演劇、芸術等の鑑賞

㈣英、独、仏等外国書の輪読等を行う。

第三　各配属庁は、その地の実情に応じ前項に準じて、講演見学等を行う。

第三章　実務に関する修習

第一節　裁　判

各期における指導は左の要領による。

一、司法研修所における前期指導期間

㈠指導目標

裁判所における裁判実務の全般について（特に判決手続を中心にして）修習記録等を使用し、その基礎的な概念を把握させ、実務に即した理論の研究を指導する。

㈡指導方法

(A)民事裁判

(1)講義

教官担当のもとに、修習記録等の教材を使用し、訴の提起から判決にいたるまでの訴訟手続の概要を、その発展段階に応じて訴訟上通常生ずる民事訴訟法上の諸問題を指摘しながら逐一解説し、その中で請求原因、主張責任、立証責任、否認と抗弁等の民事訴訟法上の諸原則の実際的意義を理解させるとともに、弁論主義、当事者処分権主義の実務上果す機能を知らせ、民事裁判官のなす釈明権の行使の重要性を認識させ、裁判の独立、訴訟の促進等裁判全般に関する重要問題について民事裁判官としての在り方、心構えの体得に必要な指針を示すように努める。なお、判決書の作成についてその理論と技術を説明する。

(2)判決の起案及び講評

あらかじめ修習記録を交付して数回判決書を作成させる。教材には理論的な法律問題を含み、しかも通常訴訟事件としても多数あるもの数種類を選択するように努める。
前期においては、具体的事件についての当事者の主張の法律構成の仕方に重点をおき、前記訴訟法上の諸原則の理解の徹底を図り、民事裁判においては法律判断の妥当性はいうをまたないが、その基礎をなす事実の認定の重要であることを会得させる。

(3) 問題研究

教官担当のもとに、主として修習記録を使用して、数回具体的事件についての主張の当否の判断、争点の整理、釈明事項の有無の検討等の修練を行う。

(4) 特殊講義

教材はできるかぎり起案事件とは別の種類のもの(例えば仮処分事件、強制執行事件等)を選び、その手続の基礎的知識を与えることもあわせ考慮する。

民事、行政、労働、商事、家事等各事件の理論及び実務について基礎的知識を修得させるため、学者又は裁判官等に委嘱して特殊講義を行う。

(B) 刑事裁判

(1) 講義

教官担当のもとに、適宜教材を使用し、判例、通達等の紹介に留意のうえ、訴訟記録について注釈を加えながら、公訴の提起から判決にいたるまでの公判手続の概要を実務の立場から解説し、訴因、証拠等判決をするにあたつて特に研究考慮しなければならない諸問題を指摘するとともに、判決書の作成に関する理論と技術を教えるほか、刑事裁判機構の実際を明らかにし、裁判の独立、訴訟の促進、法廷の秩序維持等裁判全般に関する重要問題につき、刑事裁判官として何を知るべきか、また、いかなる心構えを有すべきかについてこれが理解に必要な指針を示す等裁判所における刑事実務の全般にわたり一応の概念と問題の焦点を把握させる。

(2)判決の起案及び講評

修習記録を使用し、通常一般に起り得べき事件で基本的な問題を多く含むものを選択し、判決書を起案させるほか、別に心証形成の理由を詳説した書面を作成させ、これに教官の詳密な講評を加えて刑事判決に関する実務一般を修得させることに努めるとともに、事実の判断、殊に情況証拠による事実認定についての考え方を会得させることに最も重点をおく。なお、起案は、あらかじめ自宅において必要な判例学説等を渉猟するに充分な余裕を与えてこれをなさしめ、むしろ事前の研究に主眼を置くものとする。

(3)問題研究

前記判決起案の講評に際し、同事件に関連した訴訟法上及び実体法上の諸問題を採り上げ、司法修習生相互に討論を行わせ、教官がその論点の所在及び考え方について指導する方法により研究を実施するほか、さらにこれを補い、かつ前記講義に対する理解の有無をたしかめるため、別に最近の実務上しばしば起りつつある問題で、多く諸家の見解も区々に分れ、最も論議の対象となつているものを選択し、前同様の方法による研究を時間の許すかぎり多く行う。

(4)特殊講義

令状事務、少年審判等の理論及び実務について基礎的知識を体得させるため、裁判官等に委嘱して特殊講義を行う。

二、実務修習地における指導期間

(一)指導目標

司法研修所前期の修習を基礎として裁判所における民事刑事実務の全般にわたり（特に判決手続を中心にして）、具体的事件について手続の発展に応じ、これをいかに審理判断すべきかを徹底的に理解させ、これらの実際の事件処理を通じて裁判官として必要な心構えを体得させる。

㈡指導方法

各実務修習地の実情に応じ、その修習指導を計画的、綜合的かつ統一的なものにするため、左の要領にしたがい、具体的な指導計画を樹立する。

(1) 司法修習生を部に配属する場合、一の部に配属する司法修習生の数は、なるべく、同時に少くとも二名を下らないようにし、かつ合議事件と単独事件の双方について修習する機会を与えるほか、期間とにらみあわせ修習の効果を減殺しない限度において、なるべく複数の裁判官に接触することができるように考慮する。

(2) 個別的な指導担当者(例えば各配属部の裁判官)のほか、一般的な指導計画の樹立、各配属部間の連絡等の責に任ずる全般的な指導担当裁判官を特に定める。

(3) 各指導担当裁判官は、全般的な指導担当裁判官と打合せて、期間中適宜協議会を開き、各部における指導の不統一をできるかぎりなくするよう横の連絡をはかるとともに、指導方法の研究向上に努める。

㈢指導の範囲及び方針

(1) 実務の指導にあたつては、性質上研修所で行いがたいもの、例えば実際の事件についてはその受理から終結にいたるまで、訴訟の発展に応じ、訴訟指揮(民事については、特に釈明権の行使、証拠調の限度等)、事実の認定、刑の量定の基準とすべき事由等いちいち裁判官の立場において考究させることを主眼とし、判決書の起案に偏することなく、また修習事件数の多寡について必ずしもこだわらないようにする。もつとも、修習させる事件の種類及び内容については、実務の実際において一般に起り得べき普通の事案を選び民事においては通常訴訟の第一審事件を主とし、各種事件の全般にわたるよう、その他修習効果、機密保持の観点等から適切な考慮を払うべきはいうまでもない。

したがつて口頭弁論、公判及び合議の傍聴、準備手続、和解勧告（民事）の立会のほか、法廷外の証人尋問、検証等の見学もつとめて行わせ、かつ随時発問して司法修習生に意見を述べさせ、またはその質問に応答する機会をできるかぎり多く与える。しかも常に単なる技術的指導にとどまらず、これを通じて裁判の独立、訴訟の促進、法廷の秩序維持等裁判全般に関する重要な問題について裁判官として必要な心構えを体得させることを忘れないようにする。

(2)　各配属部における個別的指導の不充分または一様でない点を補足調整するため、できるかぎり多く特定の指導担当者（例えば全般的な指導担当裁判官）をして、なるべく実務修習の趣旨にかなうような適当な方法により特別指導を行うようにする。

なお、司法修習生から提出された実務上の諸問題を中心とする共同研究又は重要な判例の共同研究を随時実施し、司法修習生の自発的な研究意欲の向上をはかる。

(3)　その他

(イ)　民事においては、仮差押仮処分事件、強制執行事件、人事訴訟事件、行政訴訟事件、商事事件、労働事件等についても一般的基礎的知識を修得させる。

右のような事件を特別部として専門に取扱つている裁判所においては係裁判官による講義その他適当な方法によつて行う。

(ロ)　家庭裁判所における家事事件（例えば一週間位）、少年審判（例えば一週間位）及び令状事務についても、傍聴見学その他適当な方法により、事件の一応の取扱方を修得させるようにする。

(ハ)　裁判事務以外に書記官事務の見学等を行い、

裁判所全体の機構と活動状況を理解させる。

三、司法研修所における後期指導期間

㈠指導目標

実務修習地における修習のあとをうけ、各修習地における実情の異るにより生ずることのあるべき修習上の不平均をただすほか、一般的に従来の修習上の欠陥不足を補うため、調整的かつ綜合的な修習指導を実施して、その最後の仕上げを期する。

㈡指導方法

(A)民事裁判

判決の起案講評及び実務に関する問題研究を主眼とし、前期の場合に準じ修習を指導する。

もっとも、起案事件については、前期に使用したものとは別な法律問題を含み、事実認定についても問題のあるものを選び、特に事案の見方、各証拠の価値判断、それに基いて生ずる結論の当否の点について考慮を払い、民事裁判官として法律判断のほかに事実の認定の重要性を体得させる。

(B)刑事裁判

判決の起案講評及び実務に関する問題研究を主眼とし、前期の場合に準じ修習を指導する。

もっとも、起案事件については、前期の場合に比しより複雑困難なものを選び、かつ原則として在庁即日起案とし、すでに修得した知識に基き、もっぱら自己の判断により事件を処理する能力を養うように指導する。

第二節　検　察

各期における指導は左の要領による。

一、司法研修所における前期指導期間

㈠指導目標

検察実務に関する基本的一般的知識を与え、もって検察に対する関心と理解を持たせることを目標とする。

㈡指導方法

⑴講義

教官担当のもとに、まず主として「検察講義案」を教材として、検察の沿革、検察精神、検察機構、検察事務等について概括的説明を行い、検察全般にわたる理解を与えたうえ、続いて修習記録等をも併用しながら、検察官の職務の本体をなす事件の捜査方法（捜査手続、捜査書類の作成を含む）、事件処理、公判手続の立会（上訴手続を含む）等につき具体的に解明する。

なお、事件処理上通常理解を必要とする特別法（例えば少年法、暴力行為等処罰に関する法律、盗犯等防止及処分に関する法律等）、確定判決に基く各種執行事務一般についても概括的説明を行う。

⑵検察起案及び講評

教官担当のもとに、修習記録を使用して起訴状又は不起訴裁定書を作成させる（四件位）。

これには事実の認定、法律の適用について問題点が多く、しかも検察実務上発生することの多い事件を選び、事案に対する検察官としての円満妥当な判断力の涵養に努め、あわせて起訴便宜主義の真髄を会得させるように指導する。事案に関連して生ずる法律問題の検討も怠らない。

なお、起案は、あらかじめ自宅において必要な判例学説を渉猟検討するに充分な余裕を与えて行うものと、すでに修得した知識に基きもっぱら自己の判断により事件を処理させる在庁即日起案の双方を、適宜案配して行う。

⑶演習

教官担当のもとに、修習記録、実務問題集等を教材として、講義並びに検察起案を補足するため、検察実務上の諸問題について演習を行う。

二、実務修習地における指導期間

㈠指導目標

司法研修所前期の指導をうけて、検察庁における検察実務の実体を体得させ、もつて検察の伝統とふんいきに浴させて、検察に対する理解を深めるとともに、実際の事件処理を通じて検察官として必要な心構えを体得させることを目標とする。

㈡指導方法

司法修習生の修習の委託を受けた各検察庁は、必ず一名ないし数名の指導担当検察官を定め、一定の指導計画のもとに最も能率的にその指導にあたる。

㈢指導の範囲及び方針

(1) 実務の指導にあたつては、性質上研修所で行いがたいもの、すなわち実際事件の捜査、処理、公判立会、検察事務等について、検察官として必要な理解を得させることを主眼とし、しかもその間単なる技術的指導にとどまらず、検察の不羈独立、警察指揮等検察に関する重要な問題について、検察官として必要な心構えを体得させることを心がける。

(2) 実際事件の処理は、刑法犯を主とし、なるべく各種罪名にわたり合計二十五件位を処理させることを標準とし、その三分の一位は起訴事件とする。その他強盗、殺人、放火等重要事件についても、支障のないかぎり、検視、検証、取調等の要領を修得させるようにする。

(3) 事件の捜査については、特に取調技術、主要犯罪捜査要領、証拠収集方法、捜査書類作成要領を中心に、指導担当検察官において、個々の事件を通じて指導するほか、随時指導担当検察官又は他の検査官より講義し、あるいは共同研究会を実施して指導を行う。

(4) 事件の処理については、特に事件の真相を把握、見透しの体得、証拠の価値判断、起訴不起訴処分決定の基準の体得、事件報告の要領等を重点として指導し、検察官として必要である迅速な決断力と円満妥当な判断力等を養成体得させることを主眼とする。

(5)　公判の立会については、検察官として公判に臨む心構え、態度等について理解させた上、冒頭陳述の起案、提出証拠の整理、尋問事項書の起案、論告要旨の起案等をさせ、あるいは証人尋問技術について指導し、もつて公判立会の要領を修得させるとともに、これを通じて検察官の公判における活動の重要性を認識させる。

(6)　その他検察実務に関する研究会を行い、執行、令状、証拠品等検察事務全般について、講義、見学その他適当な方法によりその取扱を修得させ、また警察、刑務所に対する指揮及び連絡、裁判所との連絡、上級検察庁に対する報告、他検察庁との共助等についても適宜その要領を指導し、もつて検察機構全般の有機的企画的活動の実体を理解させる。

三、司法研修所における後期指導期間

(一)指導目標

検察に関する綜合的最終的指導を施し、すでに修得した検察実務の理論的、実際的理解を完たからしめることを目標とする。

(二)指導方法

修習記録による起案及び講評と、検察事務に関する問題の研究討論とを主とし、なお、前期及び実務修習地の修習に対する補足的講義を行い、検察修習の総仕上げを期する。起案事件については、前期の場合よりも複雑なものを選び、かつ在庁即日起案を多くし、検察官として必要である迅速妥当な処理能力の養成に努める（四件位）。

第三節　弁　護

各期における指導は左の要領による。

一、司法研修所における前期指導期間

㈠指導目標

民事、刑事に関する一般弁護実務の基本を修得させ、もつて弁護に対する関心と理解を持たせることを目標とする。

㈡指導方法

(A)民事弁護

(1)講義

事件の受任から保全処分の申請又は訴の提起まで、並びに訴の提起から判決までの訴訟の進展経過を、訴訟代理人の立場から解説し、請求の趣旨及び原因、認否、抗弁、立証責任等民事訴訟法上の諸原則の実際的意義を修得させる。なお、強制執行、調停、家事審判等に関する実務の概要も修得させる。

(2)起案及び講評

修習記録により訴状、答弁書、準備書面、契約書等を作成させ、これに対する講評を行い、法律構成の仕方、攻撃防禦方法の提出の仕方等基本的訓練を行う。

(3)討論及び講評

訴訟事件を対象として、訴訟代理人の立場から請求の趣旨及び原因、認否、抗弁、立証方法等につき討論をさせ、これに対する講評を行い、講義、起案及び講評と相まつて訴訟事件に対する基本的訓練を行う。

(B)刑事弁護

(1)講義

公訴の提起から判決までの訴訟の進展経過を解説し、刑事弁護人の立場から公訴事実に対する陳述証拠申請、被告人及び証人に対する尋問、証拠の認否、最終弁論等刑事訴訟法上の重要な訴訟行為の実際的意義を修得させる。

(2)起案及び講評

修習記録により弁論要旨、控訴趣意書、上告趣意書を作成させ、これに対する講評を行い、書面作成に関する基本的訓練を施し、その理論と技術を指導する。

(3)討論及び講評

刑事事件における実体法及び手続法に関する問題を提供して討論させ、これに対する講評を行い、講義、起案及び講評と相まつて刑事事件に対する基本的訓練を行う。

二、実務修習地における指導期間

(一)指導目標

司法研修所前期の指導をうけて、民事及び刑事に関する弁護実務の実体を体得させるとともに、これを通じ弁護士の使命及びその職務の理解を深めることを期する。

(二)指導方法及び方針

(1)　弁護士会で選任した指導担当弁護士により、事件の受任から終結にいたるまでの進展経過の実体を、裁判所及び裁判所外において具体的に指導体得させ、特に法廷における弁論を見学させ、依頼者との面談の際に同席させ、また受任した既済未済の訴訟記録を閲覧研究させる。

(2)　右と併行して、弁護士会司法修習委員会において、特別講義、討論、起案、座談会、見学、模擬裁判等を適宜行う。

(3)　弁護士会司法修習委員会と各指導弁護士間及び各指導弁護士相互間に緊密な連絡をとり、民事弁護と刑事弁護の修習がその一方に偏しないように指導する。

(三)指導の範囲

前記方針に基いて、指導担当弁護士と弁護士会司法修習委員会との協調のもとに、おおむね左の事項について指導する。

(A)民事弁護

(1)弁護士倫理

(2)民事訴訟第一、二審、上告審、保全処分、強制執行、調停、家事審判事件
(3)商事、非訟、商業登記及び不動産登記事件
(4)契約書、鑑定書等の起案
(B)刑事弁護
(1)弁護士倫理
(2)刑事訴訟第一審、控訴審、上告審における各種書類の起案
(3)身柄拘束中の被疑者又は被告人との面接その他弁護権の行使方法

三、司法研修所における後期指導期間

(一)指導目標

前二期間において、弁護士の立場にあつて修得した民事事件及び刑事事件の理論的実際的理解について全般的な調整を図りながらその綜合的最終的指導をする。

(二)指導方法

前期指導に準じ、左の要領による。
(1)講義
(2)起案及び講評
(3)討論及び講評

第四節　補　則

第一　司法研修所においては、実務に関する修習に資するため、

(一)簿記会計学、刑事政策、法医学、精神病学、犯罪心理学等のいわゆる補助科学及び外国法についての専門家による講演
(二)英米証拠法、コンツェルン法、鑑識学、行刑、司法保護等実務上参考となる特殊の事項についての特別講義
(三)全国における事件処理状況等法律実務の実情についての関係当局の実務家による講演
(四)先輩法曹の講演又は座談会

㈤裁判傍聴、証券取引所、手形交換所、刑務所、科学捜査研究所等実務に関係のある中央の施設の見学等を行う。

第二　各配属庁は、その地の実情に応じ、前項に準じ講演見学等を行う。

第三　本要綱の実施にあたつては、各配属庁の実情に即して、本要綱の定める趣旨に反しないかぎり、適切妥当な修正を施しても差支えないものとする。

司法研修所出身の弁護士分布一覧（昭 35. 4. 7 現在）

高裁庁名	地裁庁名	弁護士会名	人員	計
東京	東京	東京 第一東京 第二東京	845	
	横浜	横浜	39	
	浦和	埼玉	4	
	千葉	千葉県	9	
	水戸	茨城	7	
	宇都宮	栃木県	4	
	前橋	群馬	0	
	静岡	静岡県	9	
	甲府	山梨県	3	
	長野	長野県	0	
	新潟	新潟県	11	931
大阪	大阪	大阪	211	
	京都	京都	11	
	神戸	神戸	31	
	奈良	奈良	1	
	大津	大津	1	
	和歌山	和歌山	4	259
名古屋	名古屋	名古屋	52	
	津	三重	2	
	岐阜	岐阜県	3	
	福井	福井	3	
	金沢	金沢	6	
	富山	富山県	3	69
広島	広島	広島	11	
	山口	山口県	3	
	岡山	岡山	7	
	鳥取	鳥取	2	
	松江	島根県	2	25
福岡	福岡	福岡県	33	
	佐賀	佐賀県	1	
	長崎	長崎	6	
	大分	大分	2	
	熊本	熊本県	6	
	鹿児島	鹿児島	2	
	宮崎	宮崎	4	54
仙台	仙台	仙台	16	
	福島	福島	3	
	山形	山形県	1	
	盛岡	岩手	2	
	秋田	秋田	2	
	青森	青森	4	28
札幌	札幌	札幌	21	
	函館	函館	1	
	旭川	旭川	2	
	釧路	釧路	4	28
高松	高松	高松	2	
	徳島	徳島	5	
	高知	高知	3	
	松山	松山	1	11
		総計		1405名

司研企調作成

索　引

あ

悪しき隣人……………………66,67-

アドミッション・テスト→ロー・スクール・アドミッション・テスト

アメリカの法曹人口………………35

アメリカン・バー・アッソシエーション …………11,12,166,169

い

一般教養………… 26,113,185,194-

一般条項の功罪……………………55

え

エームズ・コンペティション …140

か

解釈法学 ………………………54,56

概念法学……………………………55

学説批評……………………………51

株式会社組合説 …………………108

株式会社社団法人説 ……………107

株式全額払込論……………………64

株式の名義書換の請求……………52

勘……………………………………46

き

起　案 ………………………18,19

技術性………………………………18

ギールケ……………………………58

キルヒマンの法律無価値論 ……101

く

クック ……………………………153

グッド・キャラクター …………159

クロス・エキザミネーション ………………………… 139,140

け

契約遵守の基礎……………………66

ケース・メソッド …………65,125,126,127,140

堅白同異の弁 ……………………106

こ

交互尋問…………………79,141,142

合名会社社団法人説 ……………108

黒人のロー・スクール …………153

コンメンタール……………56,57,62

さ

裁判官研修 ………………162,200

裁判官倫理規範 …………………143

し

事　実……………………………82
事実認定……………………16,42,71
——の苦しみ…………………78
自然法の研究 …………………145
実務家による学問の軽視…………40
実務家による専門的研究 ………57-
実務家の劣等感…………………44
実務と学問との関係………………37
実務としての法律学………………47
司法官試補 ………………………9
司法研修所………………8,11,182
司法研修所における法曹教育……13
司法研修所の運営…………………11
司法研修所のカリキュラム………29
司法試験制度の改正 ……………191
司法試験の合格者 …………3,197
司法修習生 ………………9,10-
司法修習生指導要綱…175,188,付録-
釈　明……………………………89
証拠調 …………………………76,83
証拠の価値…………………………81
証人調………………………………79
証人尋問 …………………………139

す

スタンフォード大学 ……………153

そ

卒業式 ……………………………155

た

蛸配当………………………………52
単なる実務家 ……………………48,57

ち

懲戒の権限 ………………………169

て

ティーチング・フェロー ………129
天皇機関説 ………………………189

と

ドイツにおける法曹人口……35,118
ドイツの大学の法学部 ……………4
特別法の研究…………………………61

に

似て非なる理論家…………………45
日本弁護士連合会 …………12,95
日本法律家協会……………………11

は

バー・アッソシエーション…11,166-
バーの試験……………………156-
ハーノーの法学教育論 ……125,182
ハーバード大学………………112-
判決作成 …………………………91-
判例批評 ………………………50,51
判例民事法……………………………51

ひ

非訟事件手続法……………………62

ふ

プラクティシング・ロー・インスティテュート ………………161
プラニオル ………………………149
プリリーガル・エデュケーション……………………………………27
プロブレム・メソッド …………126

へ

弁護士試補………………………… 9
弁護士倫理→法曹倫理

ほ

法学教育と法曹教育……………… 1
法学教育と法曹教育との分離……40
法学教育に対する法曹教育の意義…………………………………… 3
法科万能………………………… 4
法曹一元論 …………………12,30
法曹教育と専門的研究 ………23,56
法曹教育の確立 …………………184
法曹教育の諸問題…………………21
法曹教育の特異性…………………13
法曹教育の必要性………………… 1
法曹人口……………………………30
法曹たるの適性……………………20
法曹の一体化 ……………22,93,176
法曹の分布…………………………32
法曹倫理……………………23,143
法律解釈 …………………………105
法律概念……………………………85
法律学への反感……………………38
法律実務家の学問の特異性………48
法律扶助 …………………………142

も

模擬法廷 …………137,138,140,141

や

夜　学 ……………………115,116

ら

蘭学事始……………………60,100
ラングデル ………………………128

れ

レフェレンダール……5,115,131,178

ろ

ロー・スクール…………………111-
——の科目 ………………………133
——の教育………………………124-
——の教授 ……………130,148
ロー・スクール・アドミッション・テスト……………………21,119,122
ロー・ファーム………………29,30,163,164,165,166
ロー・レビュー …………………122
論理の遊戯 ………………………104

著者略歴

大正十四年　東京大学法学部卒業
東京地裁、東京高裁及び司法研修所長を歴任
昭和十六年　法学博士
現　職　東京地裁所長

主要著書

株式会社の基礎理論（岩波書店）
新会社法概論（岩波書店）
株式会社法研究（弘文堂）
会社更生法（法律学全集）（有斐閣）
条解株式会社法（鈴木忠一氏と共著）（弘文堂）

落丁・乱丁本はお取替いたします。

昭和三十五年十月二十五日　初版第一刷印刷
昭和三十五年十月三十日　初版第一刷発行

法曹教育

著作者　松《まつ》田《だ》二《じ》郎《ろう》
東京都千代田区神田神保町二ノ十七
発行者　江草四郎
東京都中央区入船町一ノ八
印刷者　小林光次
発行所　株式会社　有斐閣
東京都千代田区神田神保町二丁目十七番地
電話(331)〇三二三・〇三四四
本郷支店　文京区東京大学正門前
京都支店　左京区北白川追分町一

印刷　明石印刷株式会社
製本　稲村製本所

© 1960, 松田二郎. Printed in Japan

法曹教育（オンデマンド版）

2013年3月15日　発行

著　者　　松田　二郎
発行者　　江草　貞治
発行所　　株式会社 有斐閣
〒101-0051　東京都千代田区神田神保町2-17
TEL　03(3264)1314(編集)　03(3265)6811(営業)
URL　http://www.yuhikaku.co.jp/

印刷・製本　　株式会社 デジタルパブリッシングサービス
URL　http://www.d-pub.co.jp/

©2013, 鈴木安良太
AG602

ISBN4-641-91128-2
Printed in Japan
本書の無断複製複写（コピー）は，著作権法上での例外を除き，禁じられています